150 recettes de SAUCES classiques • originales

Gérard ROLLERI

Photos : S.A.E.P. / J.L. Syren

La coordination de cette collection est assurée par Paulette Fischer.

EDITIONS S.A.E.P.
INGERSHEIM 68000 COLMAR

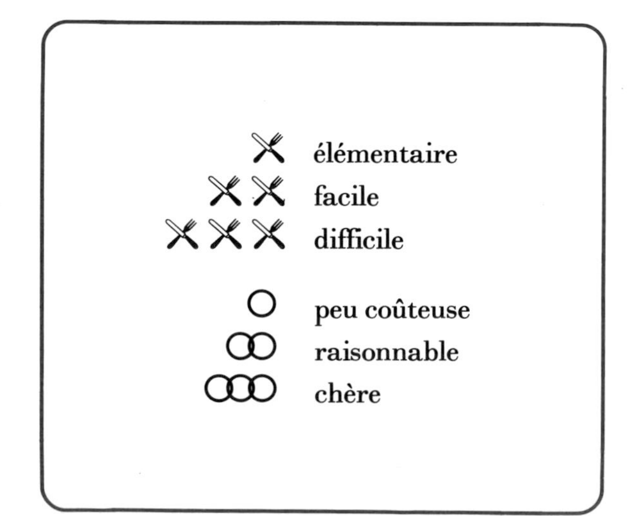
élémentaire
facile
difficile
peu coûteuse
raisonnable
chère

La sauce est le faire valoir d'un plat. Elle ajoute la dernière touche subtile à une recette et lui confère son originalité. Comme le soulignait Lucien Tendret elle est à la cuisine ce que sont les couleurs à la peinture. Du simple jus de rôti à la sauce la plus complexe et la plus élaborée, le but est de, non seulement compléter un mets, mais aussi et surtout de lui conférer une personnalité et d'en sublimer le goût.

A cette fin, toutes les initiatives sont permises, à condition bien sûr de ne pas réaliser des associations « contre-nature ». Car les sauces, comme la peinture ou la haute couture, ayant aussi leur mode, certains se sont laissés aller, après maintes recherches, à des excès pas toujours convaincants et en tout cas fort inopportuns.

Mais la cuisine comme la mode n'étant qu'un éternel recommencement, les grandes règles classiques qui président à l'élaboration des sauces restent toujours d'actualité.

Ne soyez donc pas effrayés à l'idée de réaliser une sauce, la simplicité en ce domaine pouvant être aussi gage de succès. Un simple mélange d'ingrédients, d'herbes ou d'aromates peut donner une sauce bien goûteuse, de même qu'un jus de rôti ou les sucs caramélisés d'un plat de cuisson juste déglacés à l'eau puis légèrement montés au beurre. N'hésitez pas à faire vous-même des essais, à modifier légèrement certaines recettes selon vos goûts.

Et puis l'ambition aidant, de même que l'expérience, tout deviendra plus facile ensuite.

Alors bon courage et tous nos vœux de succès !

QUELQUES IDEES D'ACCOMPAGNEMENTS DE CERTAINS PRODUITS

POISSONS ET CRUSTACES

Anguilles : Beurre maître d'hôtel ; sauces tomate, béarnaise, poulette, matelote.

Bar : Sauces au coulis de fenouil, sabayon, béarnaise, vierge.

Brochets, perches, truites : Beurres blanc, rouge ; sauces soubise, tartare, mayonnaise, ravigote, citronette, raifort.

Coquilles Saint-Jacques : Beurre blanc ; sauces soubise, au coulis d'endives, à la crème de poivrons, tartare, badiane, gingembre, rose au vinaigre, vierge, échalotes au Noilly.

Crabes et bouquets : Sauces mayonnaise, Mornay, au Sauternes, tartare, pour crustacés, cocktail, andalouse, antiboise.

Ecrevisses : Sauces américaine, cardinal, pour crustacés, au Sauternes.

Grenouilles, escargots : Sauces poulette, au beurre d'orties.

Homards, langoustes, langoustines : Beurre blanc ; sauces mayonnaise, ravigote froide, hollandaise, au Sauternes, pour crustacés, andalouse, américaine, à la purée de tomates, poivrons et oignons, au coulis de poireaux, cardinale, antiboise, vierge.

Maquereaux, merlans : Sauces moelle, au vin blanc, Bercy, Mornay.

Morue, cabillaud, colin : Beurre blanc ; sauces veloutée, Bercy, au vin blanc, dieppoise, Mornay, Waterzoï, soja, aïoli, gribiche, rouille.

Raie : Sauce raifort.

Rougets : Sauces au coulis de fenouil, à l'oseille, au gingembre, rose au vinaigre.

Sardines : Sauces béarnaise, tomate, Bercy, aurore.

Saumon : Beurre blanc ; sauces Sabayon, béarnaise, tartare, choron, échalotes au Noilly, hollandaise, à l'oseille, paloise, rose au vinaigre.

Coquillages : Sauces dieppoise, marinière.

Sole, plie : Beurres blanc, rouge ; sauces à la purée de carottes.

Thon : Sauces au coulis de tomates, à la purée de tomates, poivrons et oignons.

Turbot, turbotin, Saint-Pierre : Sauces à la purée de céleri, gaspacho, tartare, à la badiane, hollandaise, béarnaise.

ABATS

Cervelle : Beurre blanc.

Foie : Sauce bourguignonne.

Langue : Sauces charcutière, piquante.

Pieds (veau, mouton, porc) : Sauce poulette.

Tête (veau) : Sauce ravigote.

Rognons : Sauces estragon, financière, bourguignonne.

Ris : Sauces estragon, financière, périgueux, à la crème de poivrons.

VIANDES

Bœuf :

Steak, entrecôte : Sauces bordelaise, marchand de vin, beaujolaise, cocktail (fondue), gribiche, vendangeur, béarnaise, hollandaise.
Filet, faux-filet, aloyau : Sauces madère, périgueux, bourguignonne.
Tournedos : Sauce bordelaise.
Hampe, bavette, onglet : Sauces bourguignonne, marchand de vin.

Veau :

Côtes : Sauces à l'estragon, soubise.
Selle, rôti : Sauces chasseur, périgueux, aurore, estragon.
Escalopes, grenadins, médaillons : Sauce au poivre vert.
Jarret : Sauce blanquette.

Porc :

Côtes, échine, filet, épaule : Sauces charcutière, confuse, piquante.
Jambon : Sauce madère.

Agneau, mouton :

Carré, côtes : Sauces soubise, aux foies de volaille.

Gibiers :

Chevreuil, biche, faon, sanglier, marcassin : Sauces poivrade, grand veneur, venaison, à la purée de betteraves rouges, à la purée de céleri, civet, Saint-Hubert.
Canard sauvage : Sauce salmis.
Cailles, grives, faisans : Sauces chaud-froid brune, salmis, saupiquet.
Lièvre : Sauces poivrade, grand veneur, civet.

Volailles et lapins :

Canard : Sauces saupiquet, salmis au poivre vert, aux truffes.
Poulet, poule, poularde : Sauces diable, duxelles, veloutée, chaud-froid blanche, chaud-froid aurore, chaud-froid vert-pré, suprême, albuféra, aurore, soubise, waterzoï, estragon, au beurre de cresson, moutarde, aux truffes.
Pigeon : Sauces diable, duxelles, au foie gras, au coulis de poireaux.
Lapins : Sauces chasseur, moutarde.

OEUFS

Brouillés : Sauce estragon.
Durs chauds : Sauces aurore, au coulis de tomates.
Durs froids : Sauces mayonnaise, russe, vendangeur.
Pochés : Sauces duxelles, moelle, Mornay, estragon, béarnaise.
Frits : Sauce duxelles.

LES FONDS, GLACE, MARINADE, FUMETS, GELEE

Les deux grands principes présidant à l'élaboration d'une sauce sont réduction et liaison.

Réduction de fonds, de jus, de bouillons, et liaison à chaud ou à froid selon différents procédés.

La première opération à réaliser est donc la préparation de fonds, fumets, jus ou marinades, qui serviront de base à l'élaboration des sauces et pourront être conservés au réfrigérateur ou au congélateur en bacs à glaçons.

Fond brun de veau ✗✗✗ ○○○

Prép. : 15 mn. Cuiss. : 3-4 h.

1 kg. d'os de veau concassés / 200 g. de jarret / 1 pied de veau (facultatif) / 100 g. de carottes / 100 g. de poireaux / 1 oignon / 1 échalote hachée / 1 gousse d'ail écrasée / 1 verre de vin blanc / 1 bouquet garni (thym, laurier, persil) / 2 à 3 grains de poivre et coriandre / 1 clou de girofle / 5 cl. d'huile / Sel.

Faire colorer les os soit au four, soit dans une grande cocotte à feu vif 10 minutes, puis le jarret 5 minutes. Ajouter les légumes en rondelles et les faire suer 3 à 4 minutes sans colorer. Verser le vin, laisser évaporer à sec.

Ajouter 3 lit. d'eau froide, le bouquet, les épices et le pied de veau préalablement blanchi 10 minutes à l'eau bouillante salée. Faire cuire sans couvrir à feu doux pendant 3 à 4 heures en écumant fréquemment.

Filtrer au chinois, mettre au réfrigérateur et dégraisser le lendemain.

Glace de viande, de volaille, de gibier

Cuiss. : 1 h 30 mn. à 2 h.

Reprendre le fond brun et le remettre à feu très doux en écumant à nouveau. Laisser réduire jusqu'à obtention de 3 à 4 dl. de liquide onctueux.

Fond blanc de veau ✕✕✕ ○○○

Prép. : 15 mn. Cuiss. : 3 h 15 mn.

200 g. d'épaule de veau / 800 g. de jarret de veau / 800 g. de carcasses de volaille / 80 g. de carottes / 80 g. d'oignons / 50 g. de poireaux / 1 bouquet garni / 50 g. de céleri / 12 g. de sel.

Mettre les viandes et les carcasses brisées en menus morceaux dans 3 lit. d'eau. Amener à ébullition, écumer, ajouter les légumes et le sel. Cuire 3 heures à feu doux.

Mettre au frais et dégraisser le lendemain.

On peut remplacer les fonds de confection longue et parfois fastidieuse par des tablettes de bouillon (volaille ou bœuf) auxquelles on peut ajouter, après reconstitution du bouillon, une carotte, un poireau, un oignon, un bouquet garni et quelques aromates (poivre, coriandre en grains). Laisser à nouveau frémir 20 à 30 minutes.

Fond de volaille

Prép. : 10 mn. Cuiss. : 1 h 35 mn.

1 kg. d'abattis de volaille (cous, ailerons, carcasses, pattes) / 1 morceau de poule (facultatif) / 1 carotte / 1 poireau / 1 oignon / 1 échalote hachée / 1 bouquet garni (persil, thym, laurier) / 2 grains de poivre et coriandre / 1 demi-verre de vin blanc / 1 pincée de sel.

Mettre les abattis et les légumes coupés en rondelles dans une casserole à feu moyen sans les faire colorer pendant 2 à 3 minutes. Ajouter le vin blanc et faire évaporer à sec.

Incorporer le bouquet garni et 1 lit. 1/2 d'eau froide. Laisser à feu doux pendant 1 heure 30 minutes environ en écumant régulièrement.

Filtrer au chinois. Mettre au réfrigérateur et dégraisser le lendemain.

Fond de canard

Prép. : 10 mn. Cuiss. : 1 h 40 mn.

Même procédé mais en faisant rissoler dans 1 cuillerée à soupe d'huile les os de canard et les légumes. Au lieu du vin blanc, ajouter 1 verre de vin rouge réduit de moitié et cuire 1 heure 30 minutes avec 1 lit. d'eau.

Fond de gibier

Prép. : 20 mn. Cuiss. : 4 h 15 mn.

Procéder comme pour le fond brun de veau en remplaçant les os de veau et la viande, par des os de gibier (chevreuil ou sanglier) et 250 à 300 g. de parures et bas morceaux que l'on fait rissoler pendant 10 à 15 minutes.

Ajouter les légumes, puis le vin et 3 lit. d'eau. Laisser cuire 4 heures.

Filtrer et dégraisser.

Marinade crue (pour gibier ou viande rouge)

Prép. : 10 mn.

1 oignon / 2 échalotes / 1 gousse d'ail / 1 morceau de céleri / 1 carotte / 1 bouquet garni (thym, laurier, persil) / 4 à 5 grains de poivre et coriandre / 1 pincée de sel / 1 clou de girofle / 2 à 3 baies roses / 3/4 lit. de vin blanc ou rouge / 5 cuillerées à soupe de vinaigre / 3 cuillerées à soupe d'huile.

Couper les légumes en rondelles.

Dans un plat long et profond, disposer la moitié des légumes, mettre la viande à mariner, puis l'autre moitié des légumes. Arroser du vin, du vinaigre et de l'huile. Mettre ensuite les épices et le bouquet garni. Faire mariner 24 heures ou plus selon le goût.

Ne jamais utiliser de récipient en métal.
Ne pas saler.

Fumet de poisson ✗✗ ○

Prép. : 10 mn. Cuiss. : 30 mn.

1 kg. d'arêtes et parures de poisson (sole, turbot) / 1 carotte / 1 poireau / 1 oignon / 1 échalote hachée / 1 bouquet garni (persil, thym, laurier) / 2 grains de poivre / 1 verre de vin blanc / 1 pincée de sel / 1 noix de beurre / 1 cuillerée à café d'huile.

Passer les têtes et arêtes de poisson sous un filet d'eau.

Dans une grande casserole mettre le beurre et l'huile à feu moyen, ajouter les légumes coupés en rondelles et l'échalote hachée et faire suer 4 à 5 minutes sans colorer.

Ajouter les parures de poisson, laisser à nouveau 5 minutes. Incorporer le vin blanc, puis 1 lit. 1/2 d'eau et le bouquet garni. Faire cuire 30 minutes et filtrer au chinois.

Mettre au réfrigérateur et dégraisser le lendemain.

Fumet de Saint-Jacques ✗✗ ○○

Prép. : 15 mn. Cuiss. : 20-25 mn.

Les barbes de 8 coquilles Saint-Jacques (parties caoutchouteuses entourant la noix) / 1 échalote / 10 cl. de vin blanc / 1 carotte / 1 poireau / Sel, poivre / 1 noix de beurre.

Bien nettoyer les barbes sous un filet d'eau fraîche.

Faire étuver dans une noix de beurre l'échalote hachée sans colorer, puis les légumes coupés en dés. Ajouter les barbes à feu moyen, le vin blanc, 20 cl. d'eau, un peu de sel et 1 pincée de poivre. Laisser à feu doux pendant 20 à 25 minutes.

Passer le jus au chinois.

Jus de moules

✗✗ ∞

Prép. : 10 mn. Cuiss. : 5 mn.

1 kg. de moules / 3 échalotes / 1 bouquet garni (sans laurier) / 20 g. de beurre / 1 verre de vin blanc / Sel, poivre.

Laver et brosser les moules en éliminant celles qui restent ouvertes.

Dans une grande marmite, mettre le beurre et les échalotes, 1 pincée de sel. Porter à feu moyen sans colorer, puis ajouter le vin blanc, le bouquet garni et un tour de moulin à poivre. Faire bouillir 1 minute, puis ajouter les moules et les laisser ouvrir 3 à 4 minutes en remuant.

Egoutter, récupérer le jus des moules et le filtrer. Ce jus pourra servir de base à certaines sauces.

On pourra également utiliser le jus de divers coquillages (praires, palourdes), très iodés pour servir de bases, en les préparant de la même manière.

Gelée (viande, volaille ou poisson)

✗✗ ∞

Prép. : 15 mn. Cuiss. : 20 mn.

1 lit. de bouillon ou fond (de viande ou volaille) ou de fumet de poisson / 1 blanc de poireau / 2 blancs d'œufs / 4 feuilles de gélatine.

Battre les blancs d'œufs dans une casserole avec 1 demi-verre d'eau. Ajouter le poireau émincé. Mélanger avec le bouillon ou le fumet.

Faire ramollir les feuilles de gélatine dans un peu d'eau et les ajouter au bouillon. Mettre à feu moyen en remuant jusqu'à ébullition. Mettre alors de côté pendant 15 minutes.

Filtrer la préparation à travers une gaze sur le chinois. Mettre au frais.

On peut éventuellement parfumer ces gelées, en ajoutant à la gelée tiède du Banyuls, du porto, du madère (1 dl. pour 1 lit. de gelée) ou du Champagne, du Sauternes, du Muscat d'Alsace (2 dl. pour 1 lit. de gelée).

LES LIAISONS

à froid :

Beurre manié

✕ ○

Prép. : 5 mn.

Le beurre manié consiste en un mélange à froid de 2/3 de beurre et 1/3 de farine incorporé à un liquide en petites parcelles pour le lier.

à chaud :

Les **roux** sont les éléments de liaison des sauces. Pour obtenir une liaison parfaite il est indispensable de mouiller un roux froid avec un fond de bouillon chaud, et un roux chaud avec un fond froid.

Roux blanc

Cuiss. : 8 mn.

50 g. de beurre / 60 g. de farine (pour un roux plus léger, 25 g. de beurre seulement).

Faire fondre le beurre dans une casserole sans laisser colorer. Ajouter la farine. Mélanger rapidement au fouet pour obtenir une pommade et laisser cuire 8 minutes à feu doux.

Utilisations : Sauces Béchamel, veloutée.

Roux blond

Cuiss. : 15 mn.

Mêmes proportions que pour le roux blanc. Laisser cuire 15 minutes jusqu'à couleur blonde du roux.

Utilisations : Veloutés de volaille ou poisson.

Roux brun

Cuiss. : 20 mn.

Mêmes proportions que pour le roux blanc. Laisser cuire le roux 20 minutes jusqu'à coloration noisette.

Utilisations : Sauce Espagnole ou demi-glace.

Afin que le roux blond ou brun soit plus léger, on peut colorer avant usage la farine sur la plaque du four. Ainsi le temps de cuisson avec le beurre sera diminué (10 minutes environ).

LES SAUCES A BASE BLANCHE

Sauce Béchamel

Prép. : 2 mn. Cuiss. : 15 mn.

Pour 50 cl. de sauce :
30 g. de beurre / 30 g. de farine / 1/2 lit. de lait / Sel, poivre.

Faire un roux avec le beurre et la farine. Laisser cuire 5 minutes.
Ajouter le lait et fouetter jusqu'à ébullition. Assaisonner avec sel et poivre et cuire 10 minutes à feu doux.

Utilisations : Pâtes, gnocchis, endives blanchies, cardons blanchis et passés au four, etc.

Sauce veloutée

Prép. : 10 mn. Cuiss. : 35 mn.

30 g. de beurre / 30 g. de farine / 70 cl. de fond de volaille ou de poisson.

Faire un roux avec beurre et farine sans laisser colorer. Cuire 5 minutes à petit feu.
Mouiller avec le fond. Tourner au fouet jusqu'à ébullition et cuire 30 minutes sans remuer.

Utilisations : Servie en potage ou pour compléter une sauce.
Utiliser un court-bouillon pour cuire des filets de poisson (sole ou limande) pendant 3 minutes. Procéder ensuite à l'élaboration de la sauce à partir de ce court-bouillon.

Sauce suprême

✕✕✕ ∞

Prép. : 25 mn. Cuiss. : 35 mn.

30 g. de beurre / 30 g. de farine / 50 cl. de fond de volaille ou de bouillon de cuisson d'une poule / 1 jaune d'œuf / 25 cl. de crème fraîche / 25 g. de beurre.

Faire un roux blond, mouiller avec le fond de volaille en fouettant jusqu'à l'ébullition.

Après 30 minutes de cuisson lier avec le jaune d'œuf et la crème et incorporer les 25 g. de beurre au fouet.

Utilisation : Accompagnement de la poule pochée.

Pour pocher les volailles, les faire cuire avec leurs abattis dans un court-bouillon constitué par les légumes (carottes, poireaux, branche céleri, oignon, clous de girofle, bouquet garni, sel et poivre) 20 à 25 minutes par livre. Utiliser ce bouillon pour faire la sauce.

Sauce Albuféra

Prép. : 35 mn. Cuiss. : 45 mn.

50 cl. de sauce suprême / 10 cl. de glace de viande.

Incorporer la glace de viande à la sauce suprême.

Utilisations : Pour napper une poularde albuféra farcie de riz additionné de foie gras et truffes pochée, ou une poularde cuite en vessie et accompagnée de petits légumes blanchis et tournés au beurre.

Sauce Bercy

Prép. : 35 mn. Cuiss. : 15 mn.

20 cl. de sauce veloutée (poissons) / 4 échalotes / 1 demi-verre de vin blanc / 1 demi-verre de fumet de poisson / 45 g. de beurre / Sel, poivre / 1 branche de persil / 1 demi-citron.

Faire étuver les échalotes hachées avec 20 g. de beurre sans colorer. Ajouter le vin blanc, le fumet de poisson et faire réduire de moitié.

Incorporer la sauce veloutée et amener à ébullition pendant 10 minutes.

Hors du feu incorporer 25 g. de beurre au fouet, rectifier l'assaisonnement, ajouter le jus du citron et le persil haché.

Utilisations : Poissons pochés (colin, cabillaud) dans un court-bouillon frémissant 15 minutes.

Sauce cardinal

Prép. : 15 mn. Cuiss. : 20 mn.

50 cl. de béchamel / 10 cl. de fumet de poisson / 10 cl. de crème / 50 g. de beurre de homard (p. 65) / Sel, poivre.

Faire réduire le fumet de poisson de moitié.

Mettre à feu moyen la béchamel additionnée de la crème. Réduire à consistance crémeuse, puis incorporer le fumet. Laisser cuire 2 minutes puis hors du feu monter au fouet avec le beurre de homard. Saler et poivrer.

Utilisations : Homard et crustacés.

Sauce aurore

Prép. : 35 mn. Cuiss. : 10 mn.

50 cl. de sauce (avec fond de volaille) veloutée / 12 cl. de sauce tomate / 50 g. de beurre.

Porter à ébullition la sauce veloutée, ajouter la sauce tomate et monter au fouet avec les 50 g. de beurre.

Utilisations : Oeufs durs, rôti de veau, volailles pochées.

Sauce dieppoise

Prép. : 35 mn. Cuiss. : 10 mn.

50 cl. de sauce au vin blanc / 5 cl. de jus de moules / 5 cl. de vin blanc / 50 g. de beurre / 50 g. de moules / 50 g. de crevettes / Sel, poivre.

Faire réduire le jus de moules et le vin blanc de moitié. Ajouter la sauce au vin blanc, puis monter au fouet avec les 50 g. de beurre en incorporant les moules et les crevettes. Saler, poivrer.

Utilisations : Marmite de poissons et coquillages pochés. Les poissons seront cuits 10 minutes environ, et les coquillages 2 à 3 minutes.

Sauce raifort

Prép. : 5 mn. Cuiss. : 20 mn.

50 g. de beurre / 50 g. de farine / 1 jaune d'œuf / 10 cl. de court-bouillon de poisson / 20 cl. de crème fraîche / 1 yaourt / 3 cuillerées à soupe de vinaigre de vin blanc / 100 g. de raifort râpé (ou en conserve) / 1 gousse d'ail / Sel, poivre.

Faire un roux blanc avec le beurre et la farine. Mouiller avec les 10 cl. de court-bouillon froid de poisson. Cuire 5 minutes, ajouter la crème et le yaourt mélangés, le vinaigre et le raifort. Fouetter jusqu'à consistance crémeuse, puis hors du feu, ajouter le jaune d'œuf en continuant de fouetter. Saler et poivrer.

Utilisations : Poissons pochés au court-bouillon (raie, églefin, perche ou brochet) ou pour une salade de pommes de terre.

Sauce Mornay

Prép. : 15 mn. Cuiss. : 5 mn.

50 cl. de béchamel / 10 cl. de crème / 30 g. de gruyère râpé.

Porter la béchamel à ébullition, incorporer le gruyère et le laisser fondre complètement. Hors du feu, ajouter la crème, au fouet.

Utilisations : Poissons pochés au court-bouillon, nappés de sauce et gratinés ; œufs pochés, mollets, durs, nappés et gratinés.

Sauce Soubise

Prép. : 5 mn. Cuiss. : 45 mn.

50 cl. de béchamel / 200 g. d'oignons / 50 g. de beurre / 3 cl. de crème fraîche / Sel, poivre.

Emincer les oignons. Les faire blanchir 3 à 4 minutes dans de l'eau bouillante, les rafraîchir et les égoutter. Les étuver ensuite dans une bonne noix de beurre pendant 10 à 15 minutes sans colorer.

Ajouter la béchamel et cuire 15 minutes à couvert.

Passer le tout au chinois en foulant bien la purée. Saler et poivrer. Incorporer les 3 cl. de crème, puis terminer en montant au fouet avec 40 g. de beurre.

Utilisations : Saint-Jacques pochées, poularde pochée, agneau au four ou poêlé.

Sauce au vin blanc

Prép. : 35 mn. Cuiss. : 15 mn.

50 cl. de sauce veloutée de poisson (p. 14) / 10 cl. de fumet de poisson / 2 jaunes d'œufs / 75 g. de beurre / 10 cl. de vin blanc sec.

Incorporer le fumet et le vin blanc à la sauce veloutée, laisser réduire du tiers.

Lier avec les jaunes d'œufs battus, à feu doux, et monter au fouet avec le beurre comme une hollandaise.

Utilisations : Poissons, filets de turbot cuits à la vapeur.

Sauce ravigote

✕✕ ∞

Prép. : 35 mn. Cuiss. : 10 mn.

50 cl. de sauce veloutée / 10 cl. de vin blanc / 5 cl. de vinaigre / 35 g. de beurre / 15 g. d'échalotes hachées / 1 branche de cerfeuil, estragon et ciboulette hachés.

Incorporer les échalotes au beurre.
Faire réduire le vinaigre et le vin mélangés de moitié.
Ajouter la sauce veloutée. Porter à ébullition et monter au fouet avec le beurre d'échalotes. Terminer en incorporant les herbes hachées.

Utilisations : Servir avec des abats pochés : tête de veau, cervelle ou volailles pochées.

LES CHAUDS-FROIDS

Sauce chaud-froid blanche (sauce froide)

✕✕✕ ∞

Prép. : 30 mn. Cuiss. : 15 mn.

35 cl. de velouté / 30 cl. de gelée / 15 cl. de crème / Sel, poivre.

Faire bouillir le velouté à feu vif. Ajouter gelée et crème petit à petit. Réduire de 1/3, rectifier l'assaisonnement.
Laisser refroidir et napper ensuite.

Utilisation : Pour napper une poularde pochée, en chaud-froid.

Sauce chaud-froid aurore

✕✕✕ ∞

Prép. : 5 mn.

Additionner 50 cl. de sauce chaud-froid blanche de 10 cl. de purée de tomates.

Sauce chaud-froid vert pré

✕✕✕ ∞

Prép. : 5 mn. Cuiss. : 10 mn.

Faire infuser dans 10 cl. de vin blanc, 2 branches de persil, cerfeuil, estragon et ciboulette pendant 10 minutes.
Passer au chinois et l'incorporer à 50 cl. de sauce chaud-froid blanche.

Sauce chaud-froid brune

✕✕✕ ○○○

Cuiss. : 18 mn.

40 cl. de sauce demi-glace / 30 cl. de gelée / 2 cl. de madère ou porto xérès.

Réduire la demi-glace de moitié à feu vif, ajouter la gelée petit à petit, puis le madère. Laisser tiédir et l'utiliser avant coagulation pour napper les pièces à enrober.

Utilisations : Chaud-froid de canard au porto, chaud-froid de grives au genièvre.

Faire rôtir la volaille, la laisser refroidir, la découper en morceaux. La poser sur une grille placée sur un plat. Napper de sauce et après complet refroidissement disposer sur le plat de service.

LES SAUCES A BASE BRUNE

Sauce espagnole

Prép. : 10 mn. Cuiss. : 3 h.

Pour 1/2 lit. de sauce :
1 lit. de fond brun de veau / 60 g. de roux brun / 1 carotte / 1 oignon / 50 g. de lard de poitrine salée coupé en dés / 1 demi-verre de vin blanc / 1 branche de thym / 1 demi-feuille de laurier / 10 cl. de concentré de tomates / 2 ou 3 tomates fraîches pelées, épépinées.

Faire fondre la poitrine dans une casserole, ajouter les légumes coupés en dés (mirepoix), thym et laurier. Faire rissoler 3 minutes, enlever la graisse.

Déglacer avec le vin blanc, ajouter le roux, puis le fond de veau. Cuire 2 heures en écumant et dégraissant.

Filtrer au chinois, mélanger avec le concentré et les tomates et faire cuire 1 heure. Filtrer à nouveau. Conserver au frais.

Sauce demi-glace

Cuiss. : 2 h.

Pour 1/2 lit. de sauce demi-glace :
1/2 lit. de fond de veau / 1/2 lit. de sauce Espagnole.

Mélanger le fond de veau et la sauce Espagnole et réduire le tout de moitié.

On peut affiner avec 5 cl. de porto ou de madère.

La **sauce à la moelle** *est identique à la sauce Bordelaise mais le vin rouge est remplacé par du vin blanc et les proportions de moelle sont doublées.*

Incorporer la moitié de la moelle à la sauce pour la lier, l'autre moitié sert de garniture.

Utilisations : Légumes, œufs pochés ou mollets, poissons grillés.

Sauce bordelaise

Prép. : 5 mn. Cuiss. : 25 mn.

20 cl. de sauce demi-glace / 1 verre de Bordeaux rouge / 1 échalote / 1 pincée de poivre / 1 branche de thym / 35 g. de beurre / 50 g. de moelle / Sel.

Faire étuver l'échalote hachée dans 10 g. de beurre pendant 1 minute. Ajouter le vin rouge, le poivre et le thym. Porter à ébullition et réduire jusqu'à obtention d'une marmelade mouillée (3 cuillerées à soupe de liquide).

Ajouter la sauce demi-glace et faire bouillir 15 minutes.

Passer au chinois, rectifier l'assaisonnement et ajouter 25 g. de beurre en fouettant, puis la moelle coupée en rondelles et pochée 3 minutes à l'eau salée chaude (sans bouillir).

Utilisations : Entrecôte bordelaise, tournedos à la moelle.

Sauce charcutière ✗✗ ∞

Prép. : 2 mn. Cuiss. : 20 mn.

20 cl. de sauce demi-glace / 1,5 dl. de vin blanc / 1 oignon / 1 cuillerée à café de moutarde / 50 g. de cornichons.

Faire blondir l'oignon haché.
Ajouter le vin blanc. Faire réduire jusqu'à l'obtention de 2 cuillerées à soupe de liquide.
Ajouter la demi-glace. Cuire 15 minutes.
Hors du feu, ajouter la moutarde en fouettant, puis les cornichons coupés en rondelles.

Utilisations : Langue de bœuf blanchie, pelée et cuite au court-bouillon, grillades de porc.

Sauce chasseur ✗✗ ∞

Prép. : 10 mn. Cuiss. : 15 mn.

20 cl. de sauce demi-glace / 40 g. de beurre / 100 g. de champignons émincés / 1 échalote / 1 demi-verre de vin blanc / 3 tomates / 1 cuillerée à soupe d'huile / 1 branche de cerfeuil / 1 branche d'estragon.

Faire sauter les champignons dans l'huile et 10 g. de beurre à feu vif. Ajouter l'échalote hachée pendant 1 minute, mouiller avec le vin blanc. Réduire de moitié, puis ajouter la sauce demi-glace et les tomates pelées, égrainées, mixées.
Après 10 minutes de cuisson, hors du feu, ajouter le beurre en fouettant et les herbes hachées.

Utilisation : Pour les volailles découpées à cru et rissolées, préparer la sauce comme ci-dessus.

Sauce confuse

XXX OOO

Prép. : 10 mn. Cuiss. : 15 mn.

30 cl. de sauce demi-glace / 1 demi-citron / 1 orange / 1 oignon / 1 tomate / 3 gousses d'ail / 5 feuilles de menthe / 30 g. de beurre / Sel, poivre / 1 cuillerée à café d'huile.

Couper les gousses d'ail en deux et les blanchir 5 minutes dans de l'eau bouillante salée.

Dans une sauteuse, mettre 1 cuillerée à café d'huile et une noix de beurre à feu moyen. Ajouter l'oignon et les gousses d'ail hachés et faire frémir 3 à 4 minutes.

Retirer la graisse, déglacer avec le jus du demi-citron, ajouter la tomate épépinée coupée en dés, les quartiers d'orange pelés à vif, laisser cuire 2 minutes.

Incorporer la sauce demi-glace, porter à ébullition et faire réduire de moitié. Passer au tamis. Rectifier l'assaisonnement, ajouter les feuilles de menthe, puis monter la sauce au fouet avec 25 g. de beurre.

Utilisations : Viande de porc : côtelettes, rôti, noisettes de porc sauce confuse.

Sauce diable

Prép. : 2 mn. Cuiss. : 15 mn.

20 cl. de sauce demi-glace / 1 verre de vin blanc / 3 échalotes / 1 pointe de poivre de Cayenne / Worcester sauce / 1 noix de beurre.

Faire suer les échalotes hachées dans la noix de beurre. Ajouter le vin blanc et faire réduire à 2 cuillerées à soupe de liquide.

Incorporer la demi-glace et faire réduire pendant 10 minutes.

Terminer en ajoutant une pincée de poivre de Cayenne (selon la force désirée) et 1 giclée de Worcester sauce.

Utilisations : Poulet ou pigeon grillés.

Sauce estragon

Prép. : 2 mn. Cuiss. : 20 mn.

20 cl. de sauce demi-glace / 2 branches d'estragon / 30 g. de beurre / 1 verre de vin blanc.

Faire réduire le vin blanc de moitié. Ajouter 1 branche d'estragon. Faire infuser hors du feu pendant 10 minutes.

Incorporer la sauce demi-glace. Réduire d'un tiers pendant 10 minutes. Passer au chinois, monter au fouet avec 30 g. de beurre et ajouter l'estragon frais haché.

Utilisation : Abats : ris de veau, rognon.

Sauce financière

Prép. : 5 mn. Cuiss. : 10 mn.

20 cl. de sauce demi-glace / 3 cl. de jus de truffes / 1 petite truffe.

Faire réduire la sauce demi-glace d'un tiers pendant 10 minutes.

Hors du feu, ajouter le jus de truffes. Fouetter et incorporer la petite truffe hachée.

Utilisations : Vol-au-vent, timbales, ris de veau, quenelles.

Sauce Duxelles

✕✕ ∞

Prép. : 10 mn. Cuiss. : 10 mn.

20 cl. de sauce demi-glace / 1 demi-verre de vin blanc / 80 g. de champignons / 1 échalote / 25 g. de beurre.

Faire blondir dans une noix de beurre l'échalote hachée. Ajouter les champignons hachés fins, laisser suer 2 à 3 minutes, mouiller avec le vin blanc et le faire réduire presque totalement.

Incorporer la sauce demi-glace et réduire d'un tiers pendant 5 minutes.

Terminer au fouet avec 20 g. de beurre.

Utilisations : Volailles, œufs pochés ou frits.

Sauce madère

Prép. : 5 mn. Cuiss. : 15 mn.

25 cl. de sauce demi-glace / 4 cl. de madère / 100 g. de champignons / 30 g. de beurre / Sel, poivre.

Nettoyer, émincer les champignons et les faire revenir à bon feu dans une noix de beurre.

Ajouter la sauce demi-glace, faire réduire du cinquième pendant 10 minutes, puis incorporer le madère.

Terminer la sauce avec 25 g. de beurre au fouet. Rectifier l'assaisonnement.

Utilisations : Jambon braisé, filet de bœuf.

Sauce piquante

Prép. : 5 mn. Cuiss. : 20 mn.

20 cl. de sauce demi-glace / 4 cl. de vinaigre de vin / 1 oignon / 2 échalotes / 2 cornichons / Sel, poivre / 1 noix de beurre.

Faire blondir au beurre l'oignon et les échalotes hachés. Ajouter le vinaigre et faire réduire à la valeur d'une cuillère à soupe.

Incorporer la demi-glace. Cuire à feu doux 15 minutes.

Terminer hors du feu en ajoutant les cornichons coupés en lamelles.

Utilisations : Rôti de porc, bœuf bouilli, langue de bœuf.

Sauce Périgueux

Prép. : 2 mn. Cuiss. : 25 mn.

20 cl. de sauce demi-glace / 10 cl. de porto / 5 cl. d'armagnac / 15 à 20 g. de truffes / Sel, poivre / 20 g. de beurre.

Verser le porto et l'armagnac dans une casserole et les faire réduire à feu vif jusqu'à obtention de 4 cl. de liquide.

Ajouter le jus de truffe, les truffes hachées et la sauce demi-glace. Saler, poivrer et laisser frémir, à feu doux, pendant 15 minutes.

Incorporer les 20 g. de beurre au fouet et garder au chaud.

Utilisations : Pâtés de viandes chauds, timbales de ris de veau, filet de bœuf.

Sauce poivrade

Prép. : 20 mn. Cuiss. : 1 h 30 mn.

200 g. de parures de gibier / 40 cl. de sauce demi-glace / 8 cl. de marinade / 1 carotte / 1 oignon / 4 cl. de vinaigre / 6 grains de poivre écrasés / Thym / Laurier / Persil / Sel, poivre / 1 cuillerée à soupe d'huile.

Faire revenir les parures de gibier dans un peu d'huile. Ajouter la carotte et l'oignon émincés, le thym, le laurier et le persil. Après coloration, ajouter le vinaigre et laisser réduire à sec.

Incorporer la marinade, la sauce demi-glace et les grains de poivre écrasés. Laisser cuire 1 heure 15 à 1 heure 30 minutes. Ecumer.

Dégraisser et filtrer au chinois. Rectifier l'assaisonnement.

Sauce Robert

Prép. : 10 mn. Cuiss. : 20 mn.

1 oignon haché fin / 10 cl. de vin blanc / 30 cl. de sauce demi-glace / 15 g. de beurre / 1 cuillerée à soupe de moutarde / Sel, poivre.

Faire étuver dans le beurre l'oignon pelé, haché, pendant 5 minutes sans colorer. Ajouter le vin et réduire de moitié. Saler et poivrer. Incorporer la sauce demi-glace et laisser mijoter 15 minutes.

Terminer en ajoutant la moutarde.

Utilisations : Grillades de porc, rognons de veau.

Sauce grand veneur ou venaison

Prép. : 15 mn. Cuiss. : 1 h 30 mn.

Préparer une sauce poivrade. La lier avec le sang de la bête. Tenir au chaud sans laisser bouillir.

Ajouter en dernier 1 cuillerée à soupe de gelée de groseille et de crème fraîche.

Utilisations : Selle de chevreuil, cuissot, gigue rôtie (15 à 20 minutes par livre), filets de faon, marcassin.

Râble de lièvre : Piquer le râble et les cuisses de petits lardons. Saler, poivrer. Badigeonner d'huile. Mettre au four th. 8 pendant 20 à 25 minutes. Arroser régulièrement.

Sauce rouennaise

Prép. : 5 mn. Cuiss. : 20 mn.

2 échalotes / 15 cl. de vin rouge / 1 foie de canard / 15 g. de beurre / 25 cl. de sauce demi-glace / Sel, poivre.

Etuver les échalotes hachées dans le beurre pendant 2 minutes. Ajouter le vin rouge et faire réduire pour obtenir une marmelade mouillée. Incorporer la demi-glace et laisser mijoter 5 minutes.

Mixer le foie de canard cru, le passer au tamis et l'ajouter à la sauce demi-glace.

Rectifier l'assaisonnement et terminer sur feu doux pendant 3 à 4 minutes.

Utilisation : Canard (étouffé sans être saigné) rôti à la rouennaise.

Sauce salmis

Prép. : 10 mn. Cuiss. : 30 mn.

25 cl. de sauce demi-glace / 2 échalotes / 1 gousse d'ail écrasée / 1 oignon / 1 carotte / 1 demi-feuille de laurier / 1 branche de thym / 1 verre de vin blanc sec / La carcasse du gibier cuite et son foie / 1 cuillerée à café d'huile d'olive / 30 g. de beurre / Sel, poivre.

Dans un mélange huile-beurre, faire blanchir l'oignon, les échalotes et l'ail hachés, puis la carotte émincée avec le thym, le laurier et une pincée de sel. Mouiller avec le vin blanc, réduire des 2/3 et ajouter la sauce demi-glace.

Piler la carcasse et le foie, ajouter à la sauce et faire bouillir 2 à 3 minutes. Passer au chinois en pressant.

Rectifier l'assaisonnement et terminer avec 25 g. de beurre au fouet.

Utilisations : Salmis de faisan, canard sauvage, ou palombe. Faisan, canard ou palombe sont rôtis au four en les gardant légèrement saignants, puis désossés (on utilise les carcasses et le foie pour la sauce salmis). Après confection de la sauce, on termine en y ajoutant les morceaux de gibiers pendant 4 à 5 minutes.

LES SAUCES AU VIN

Sauce bourguignonne

Prép. : 5 mn. Cuiss. : 15 mn.

35 cl. de vin rouge / 2 échalotes / 35 g. de champignons / 1 demi-oignon / 60 g. de beurre / 10 g. de farine / Sel, poivre / 1 branche de thym / 1 demi-feuille de laurier.

Faire réduire le vin rouge de moitié en incorporant les échalotes, l'oignon et les champignons. Ajouter thym et laurier, passer au chinois.

A feu doux, lier avec 20 g. de beurre manié avec la farine, puis terminer avec le beurre restant.

Utilisations : Viandes de bœuf poêlées ou rôties (onglet, bavette, hampe) ; rognons, foie poêlé.

Sauce beaujolaise

Prép. : 5 mn. Cuiss. : 35 mn.

50 g. de beurre / 5 cl. de vinaigre de vin / 6 cl. de Beaujolais / 1 oignon haché / 1 pointe de concentré de tomate / Sel, 1 pointe de poivre concassé.

Faire étuver les oignons hachés dans 15 g. de beurre pendant 5 minutes sans colorer. Ajouter le vinaigre de vin et laisser réduire à sec.

Incorporer le vin rouge avec le poivre concassé et le concentré de tomate. Laisser réduire 20 minutes à feu doux.

Ajouter ensuite le beurre par petits morceaux en fouettant.

Utilisation : Servir avec des viandes grillées.

Sauce marchand de vin

Prép. : 3 mn. Cuiss. : 25 mn.

50 cl. de vin rouge (Beaujolais par ex.) / 3 oignons / 1 cuillerée à soupe de fécule / 1 cuillerée à soupe de cognac ou armagnac / Sel, poivre / 15 g. de beurre.

Couper les oignons en fines rouelles. Les faire étuver 2 minutes sans colorer dans le beurre. Ajouter le vin rouge et faire réduire de moitié pendant 15 minutes à feu moyen. Saler et poivrer. Passer au chinois.

Délayer la fécule dans un peu d'eau froide, ajouter en remuant au vin rouge ; laisser cuire 10 minutes.

Ajouter enfin l'armagnac ou le cognac et laisser au chaud.

Utilisations : Pièce de bœuf grillé, fondue.

Pour les sauces au vin :

Lorsque l'on utilise des vins rouges ou alcools, on prendra soin dans les réductions d'opérer à feu vif pour éliminer l'excès d'alcool et sublimer le parfum du vin ou de l'alcool.

Pour un vin blanc doux, on opérera à feu doux en incorporant le vin en fin de réalisation de la recette.

Sauce échalote au Noilly

Prép. : 5 mn. Cuiss. : 20 mn.

2 échalotes / 20 cl. de Noilly / 15 cl. de crème épaisse / 25 g. de beurre / 1 filet de citron / Sel, poivre.

Faire étuver les échalotes hachées dans une noix de beurre sans les colorer. Ajouter le Noilly. Faire réduire de moitié.

Incorporer le citron, puis ajouter la crème et laisser réduire de moitié à nouveau. Passer au chinois.

Terminer au fouet avec 20 g. de beurre.

Utilisations : Poissons grillés (saumon, turbot) ou cuits au court-bouillon.

Sauce matelote

Prép. : 5 mn. Cuiss. : 15 mn.

50 cl. de vin rouge corsé (Côtes du Rhône par ex.) / 500 g. d'anguille ou de carpe / 3 échalotes / 1 carotte / 1 oignon / 1 poireau / 40 g. de champignons / 60 g. de beurre / 10 g. de farine / Sel, poivre / 5 cl. de cognac.

Dans une sauteuse mettre une noix de beurre, les légumes coupés, les morceaux de poisson. Faire étuver 2 minutes. Ajouter le cognac et flamber. Mouiller avec le vin rouge. Cuire 20 minutes à feu moyen. Retirer le poisson et les légumes.

Faire réduire la sauce 10 minutes.

Passer au chinois, lier avec 40 g. de beurre manié, terminer à feu doux avec le beurre restant, au fouet, puis ajouter le poisson et les champignons. Vérifier l'assaisonnement et servir.

Utilisation : Pour faire des matelotes de poisson.

Sauce au sauternes

Prép. : 30 mn. Cuiss. : 25 mn.

15 cl. de sauternes / 1 échalote / 25 g. de beurre / 1 morceau de gingembre / 4 à 5 filaments de safran / 1 filet de citron / 20 cl. de crème épaisse / 15 cl. de fumet de poisson.

Faire étuver l'échalote hachée dans une noix de beurre. Ajouter le sauternes. Faire réduire des 2/3.

Ajouter le fumet de poisson. Réduire de moitié pendant 10 minutes. Ajouter le gingembre râpé puis la crème et amener à consistance crémeuse.

Passer au chinois et terminer en montant au fouet avec 20 g. de beurre. Y mettre infuser pendant 2 minutes les 4 à 5 filaments de safran.

Utilisations : Poissons (saumon, sole ou turbot) cuits à la vapeur ou tout simplement poêlés.

Crustacés cuits au court-bouillon puis décortiqués ensuite.

Langoustines et écrevisses : 3 minutes.

Homard, langoustes : 10 à 15 minutes selon grosseur.

LES SAUCES AUX PUREES DE LEGUMES ET HERBES

Sauce bolognaise

Prép. : 10 mn. Cuiss. : 1 h 15 mn.

200 g. de bœuf haché / 30 g. de beurre / 1 demi-oignon / 1 petite carotte / 40 g. de jambon haché / 1 pincée de muscade (facultatif) / 1 cuillerée à soupe de sauce tomate / 20 cl. de fond de veau / Sel, poivre.

Faire étuver doucement dans le beurre, l'oignon et la carotte coupés en dés, sans colorer.

Ajouter le bœuf et remuer sans cesse. Incorporer le jambon, la sauce tomate et la muscade. Ajouter le fond de veau, saler, poivrer et laisser cuire 1 heure.

Utilisations : Pour verser sur des pâtes, ou pour préparer un plat de lasagnes.

Sauce à la purée de carottes

Prép. : 5 mn. Cuiss. : 10 mn.

2 carottes / Sel, poivre / 20 cl. de fumet de poisson / 1 noix de beurre.

Faire cuire les carottes à l'eau bouillante salée. Les mixer avec une noix de beurre et les passer au chinois.

Lier au fouet le fumet de poisson avec la purée de carottes sur feu doux.

Utilisation : Accompagnement de poissons plats poêlés 5 minutes au beurre, entiers ou en filets.

Sauce à la purée de betteraves rouges

Prép. : 5 mn. Cuiss. : 5 mn.

1 betterave rouge / 1 cuillerée à soupe de crème liquide / Sel, poivre / 10 cl. de fond de gibier.

Mixer la betterave rouge cuite. La passer au chinois.

Incorporer la crème liquide à la purée de betterave pour la détendre légèrement, puis incorporer peu à peu 10 cl. de fond de gibier en fouettant sur feu doux. Saler et poivrer.

Utilisations : Noisettes de chevreuil et côtes de marcassin poêlées.

Sauce à la purée de céleri pour poissons

✕ ○

Prép. : 5 mn. Cuiss. : 10 mn.

250 g. de céleri-rave / 1/2 lit. de lait / 20 cl. de fumet de poisson / Sel, poivre.

Faire cuire le céleri dans le lait. L'égoutter et le mixer.
Détendre la purée obtenue avec un peu de lait de cuisson. L'incorporer petit à petit au fumet de poisson sur feu doux. Saler et poivrer.

Utilisation : Escalope de turbot poêlée à la crème de céleri.

Sauce à la purée de céleri pour gibier

✕ ○

Prép. : 5 mn. Cuiss. : 10 mn.

125 g. de céleri-rave / 1/4 lit. de lait / 25 cl. de fond de gibier / Sel, poivre.

Faire cuire le céleri dans le lait pendant 10 à 12 minutes. Mixer le céleri et détendre légèrement la purée avec un peu de lait.
Ajouter le fond de gibier. Saler et poivrer.

Utilisations : Gigue de chevreuil ou marcassin, noisettes de faon poêlées.

Sauce au coulis d'endives

✕✕ ○

Prép. : 5 mn. Cuiss. : 20 mn.

3 endives / 1 pomme de terre / 15 cl. de crème liquide / Sel, poivre / 1 noix de beurre.

Faire cuire les endives à l'eau salée ainsi que la pomme de terre pendant 20 minutes. Mixer le tout et incorporer la crème liquide tiédie. Saler, poivrer.

Utilisation : Coquilles Saint-Jacques poêlées.

Sauce Cumberland

Prép. : 5 mn. Cuiss. : 5 mn.

15 cl. de porto / 1 cuillerée à soupe de vinaigre de vin / 2 échalotes / 1 orange (jus et zeste) / 1 citron (jus et zeste) / Sel, poivre / 1 morceau de gingembre frais / 2 cuillerées à soupe de gelée de groseille.

Laver, prélever et faire blanchir les zestes d'orange et de citron deux fois de suite dans de l'eau bouillante (1 minute environ).

Faire fondre la gelée de groseille au bain-marie. Ajouter les échalotes (blanchies 1 minute à l'eau bouillante), les zestes, le porto, le vinaigre, les jus, le gingembre frais émincé en julienne et blanchi 2 minutes. Saler, poivrer. Garder au chaud sur feu doux.

Utilisations : Gibiers rôtis, viandes froides.

Sauce au coulis de fenouil

Prép. : 10 mn. Cuiss. : 25 mn.

1 demi-bulbe de fenouil / 25 cl. de fumet de poisson / 15 cl. de crème épaisse / 5 filaments de safran / 45 g. de beurre / Le jus de 1/4 de citron / Sel.

Faire étuver dans 20 g. de beurre à feu doux, le fenouil pendant 10 à 12 minutes avec 1 pincée de sel. Ajouter 25 cl. de fumet de poisson et faire réduire de moitié.

Ajouter le safran, la crème épaisse et laisser frémir pendant 10 minutes.

Passer au chinois en foulant bien le fenouil. Ajouter 25 g. de beurre en fouettant, puis le jus de citron.

Utilisations : Bar poché, rougets barbets poêlés.

Sauce aux oignons

Prép. : 15 mn. Cuiss. : 1 h 15 mn.

1 kg. d'oignons / 1,5 dl. de vin blanc sec / 1,5 dl. de crème / 1 cuillerée à café rase de sel / Poivre / 50 g. de beurre / 1 cuillerée à soupe d'huile.

Peler et émincer les oignons. Si ce sont des oignons d'hiver, les faire blanchir 10 minutes. Les hacher finement.

Les verser dans la matière grasse chaude et mélanger pour que les oignons s'en imprègnent. Couvrir et faire mijoter 40 minutes sans laisser dorer.

Mouiller avec le vin blanc, saler, poivrer, et faire cuire à petit feu 30 minutes.

Ajouter la crème, rectifier l'assaisonnement et servir.

Utilisations : Cette sauce peut accompagner les viandes blanches, le foie de veau, les œufs durs, mollets, pochés.

Sauce estragon

Prép. : 5 mn. Cuiss. : 15 mn.

50 g. d'estragon / 150 g. d'épinards / 15 cl. de fond de volaille / 25 g. de beurre / Sel, poivre.

Cuire les épinards dans une casserole d'eau bouillante salée pendant 3 minutes et les plonger dans l'eau froide immédiatement.

Faire de même avec l'estragon pendant 1 minute.

Faire bouillir le fond de volaille avec l'estragon et réduire à 2 cuillerées à soupe. Ajouter les épinards et filtrer à travers un chinois en foulant les herbes.

Incorporer dans le jus recueilli les 25 g. de beurre en fouettant.

Utilisations : Rôti de veau, poulet rôti, œufs cuits...

Sauce au coulis de poireaux

✕✕ ∞

Prép. : 5 mn. Cuiss. : 15 mn.

300 g. de poireaux / 10 cl. de crème épaisse / Sel, poivre / 15 g. de beurre.

Faire sauter les poireaux coupés en rondelles dans les 25 g. de beurre pendant 1 à 2 minutes. Ajouter 10 cl. d'eau salée. Faire réduire à sec et ajouter la crème épaisse.

Passer au mixer puis au chinois. Saler, poivrer et remettre à feu doux, 5 minutes.

Utilisations : Langoustines décortiquées à cru poêlées 30 secondes de chaque côté à l'huile d'olive, pigeonneau rôti en cocotte.

Sauce à la crème de poivron

✕✕ ∞

Prép. : 10 mn. Cuiss. : 15 à 20 mn.

1 poivron rouge ou vert (selon la couleur désirée) / 1 échalote / 5 à 10 cl. de crème fraîche liquide / Sel, poivre / 1 noix de beurre.

Faire blanchir le poivron 3 minutes dans une casserole d'eau bouillante salée. Retirer la peau, les pépins et la grosse côte centrale. Le couper en lanières.

Faire étuver l'échalote hachée dans le beurre. Ajouter le poivron avec 5 cl. d'eau. Faire cuire 15 minutes jusqu'à disparition du liquide.

Passer le tout au mixer puis au chinois et terminer en détendant la purée de poivron avec 5 à 10 cl. de crème liquide.

Utilisations : Ris de veau braisé : le ris est blanchi dans l'eau bouillante 2 à 3 minutes, épluché, dénervé (éventuellement pressé sous un poids pour l'attendrir). Le découper en morceaux et le faire cuire dans un peu de vin blanc pendant 20 à 25 minutes.

Saint-Jacques poêlées ou pochées : les noix de Saint-Jacques peuvent être pochées dans un court-bouillon 2 à 3 minutes selon épaisseur ou poêlées 30 à 40 secondes de chaque côté.

Sauce à la purée de tomates, poivron et oignon

Prép. : 15 mn. Cuiss. : 20 mn.

1 demi-poivron / 2 tomates / 1 gros oignon / 15 cl. de fumet de poisson / Sel, poivre / 1 noix de beurre.

Dans un grand fait-tout d'eau bouillante, plonger les tomates et le poivron pendant 2 à 3 minutes. Retirer la peau des tomates et du poivron, les couper en deux, retirer les graines et eau de végétation (pour la tomate). Les couper en lanières.

Emincer l'oignon. Dans le beurre faire saisir l'oignon, sans colorer, pendant 2 minutes, puis ajouter tomates et poivron ainsi que le fumet de poisson. Faire cuire à feu moyen pendant 15 minutes.

Mixer ensuite le tout et passer la purée au chinois.

Utilisations : Thon braisé, langoustines poêlées.

Sauce au coulis de tomates

Prép. : 5 mn. Cuiss. : 25 mn.

300 g. de tomates / 2 cl. d'huile d'olive / 1 gousse d'ail / 1 échalote / 1 cuillerée à café de concentré de tomates / 1 bouquet garni / 15 cl. de fond de volaille / Sel, poivre.

Plonger les tomates dans une casserole d'eau bouillante, les rafraîchir à l'eau froide et les peler. Les presser un peu pour enlever les pépins.

Faire chauffer l'huile, y ajouter l'ail et l'échalote hachée sans faire colorer. Ajouter les tomates, le concentré de tomates, le bouquet garni et le fond de volaille. Faire cuire à feu moyen pendant 20 minutes.

Saler, poivrer et passer au mixer.

Sauce à utiliser chaude ou froide.

Utilisations : Thon en tranches poêlé à l'huile d'olive, œufs cuits...

Sauce tomate

Prép. : 10 mn. Cuiss. : 1 h.

Pour 20 cl. : *500 g. de tomates mûres épluchées, épépinées et coupées en morceaux, 1 demi-cuillerée à soupe d'huile d'olive / 1 oignon / 1 gousse d'ail / 1 branche de thym / 1 feuille de laurier / 1 cuillerée à café de sucre en poudre (si les tomates sont un peu acides) / Sel, poivre.*

Dans une grande casserole faire étuver l'oignon et l'ail dans un peu d'huile sans dorer. Ajouter les tomates et le reste des ingrédients. Laisser mijoter à feu doux pendant 30 minutes en remuant assez souvent. Tamiser la pulpe au chinois et faire cuire à nouveau 30 minutes. Rectifier l'assaisonnement.

Utilisations : Pâtes, thon braisé chaud ou froid.

LES LIAISONS A L'OEUF

Sauce de blanquette

Prép. : 10 mn. Cuiss. : 1 h 30 mn.

1 lit. de bouillon de cuisson de la viande aromatisé avec : 1 carotte, 1 oignon, 1 bouquet garni, 1 poireau, 1 branche de thym, 1 feuille de laurier / 30 g. de beurre / 30 g. de farine / 2 jaunes d'œufs / 20 cl. de crème / Sel, poivre / 150 g. de champignons cuits / 1 citron.

Faire un roux blond avec le beurre et la farine. Mouiller avec le court-bouillon de cuisson de la viande.
Mélanger les jaunes et la crème, et incorporer ce mélange au liquide en fouettant. Rectifier l'assaisonnement.
Ajouter les champignons et laisser cuire à feu doux pendant 15 minutes. Aciduler au jus de citron.

Utilisations : Blanquette de veau, blanquette de poisson (si on remplace le court-bouillon de viande par un court-bouillon de poisson).

Sauce aux huiles et au zeste d'orange

Prép. : 10 mn. Cuiss. : 10 mn.

10 cl. d'huile d'arachide / 1 demi-cuillerée à café de poivre mignonnette (ou concassé) / 5 cl. d'huile de noix / 10 cl. d'huile d'olive / 5 cl. de vinaigre de vin / 2 jaunes d'œufs / Le zeste de 2 oranges en petits dés.

Mélanger les huiles sur feu très doux.
Blanchir les zestes d'oranges à l'eau bouillante deux fois de suite 1 minute. Les égoutter.
Faire réduire à sec le vinaigre avec le poivre. Hors du feu, ajouter les jaunes battus dans 2 cuillerées d'eau froide. Remettre sur feu doux et incorporer le mélange des huiles en fouettant pendant 2 minutes et les zestes d'oranges.
Saler et garder au chaud au bain-marie.

Utilisations : Panaché de poissons pochés, crustacés et moules ou volailles froides.

Sauce sabayon

Prép. : 2 mn. Cuiss. : 5 mn.

2 jaunes d'œufs / 3 dl. de fumet de poisson ou jus de moules.

Dans un récipient en verrerie culinaire, placé au bain-marie sur feu doux, monter ensemble les jaunes d'œufs et 4 cl. d'eau en fouettant rapidement.

Incorporer le mélange rapidement à une réduction de fumet de poisson ou de jus de moules par exemple.

Utilisation : Panaché de poissons grillés, feuilleté de moules.

Sauce Waterzoï

Prép. : 1 h. (pour le bouillon) Cuiss. : 3 mn.

40 cl. de bouillon de veau ou poulet ou poisson / 2 jaunes d'œufs / 10 cl. de crème

Mettre les jaunes avec 5 cl. d'eau froide dans un récipient au bain-marie et les monter au fouet, puis incorporer la crème en fouettant.

Verser ensuite le bouillon chaud sur la préparation sans cesser de fouetter.

Utilisations : Waterzoï de poissons (cuits dans le bouillon) ou de poulets.

Sauce poulette

Prép. : 35 mn. Cuiss. : 10 mn.

50 cl. de sauce veloutée de volaille / 10 cl. de jus de cuisson de champignons / 10 cl. de crème / 2 jaunes d'œufs / 1 filet de citron / Sel, poivre.

Mélanger velouté et jus de champignons à chaud. Incorporer les jaunes battus avec la crème et lier à feu doux.

Terminer en ajoutant un filet de citron. Rectifier l'assaisonnement.

Utilisations : Blanc de volaille pochée, ou au velouté de poisson pour moules cuites.

LES LIAISONS AU FOIE GRAS OU AUX ABATS

Sauce bigarade

Prép. : 15 mn. (+ 2 h 30 mn. à 3 h pour le fond) Cuiss. : 1 h.

25 cl. de fond de veau / Les abattis d'un canard (ailerons, pattes, cou) / 1 carotte / 1 petit oignon / 1 bouquet garni / 1 orange bigarade (amère) / 1 demi-citron.

Mettre les abattis de canard, les légumes et le bouquet garni dans le fond de veau et faire réduire de moitié (1 heure). Pendant l'opération, enlever les impuretés et la graisse qui remontent en surface.

Laver l'orange et le citron. Les zester. Détailler les zestes en fine julienne. Les faire blanchir deux fois de suite dans de l'eau bouillante, 3 minutes à chaque fois.

Ajouter les zestes au fond de veau et en dernier lieu le jus de l'orange et du citron.

Utilisations : Canard rôti ou pigeon rôti.

On peut utiliser également des oranges douces, auquel cas on ajoute 1 cuillerée à café de liqueur d'orange.

La sauce doit rester légèrement aigrelette, sinon ajouter un peu plus de jus de citron.

Sauce aux foies de volaille

Prép. : 10 mn. Cuiss. : 20 à 25 mn.

100 g. de beurre / 3 foies de volaille / 1 échalote / 50 cl. de vin rouge.

Faire étuver l'échalote hachée dans une noix de beurre. Ajouter les foies de volaille, les faire dorer 2 à 3 minutes. Ajouter 25 cl. de vin rouge. Faire réduire à sec pendant 15 minutes. Ajouter à nouveau 25 cl. de vin rouge. Faire réduire de moitié pendant 20 minutes. Mixer et passer au chinois.

Terminer en montant la sauce au fouet avec 80 g. de beurre. Saler, poivrer.

Utilisations : Carré d'agneau rôti, côtes d'agneau poêlées.

Sauce aux gésiers et aux foies

Prép. : 10 mn. Cuiss. : 10 mn.

2 foies de pigeons / 2 gésiers / 1 petit oignon / 1 cuillerée à café d'huile / 15 g. de beurre / 2 tomates épépinées et épluchées / 10 cl. de bouillon de volaille / Sel, poivre.

Hacher finement foies et gésiers.

Faire revenir l'oignon dans le mélange huile, beurre, puis le hachis cru d'abats pendant 1 à 2 minutes.

Ajouter les tomates, puis après 2 minutes le bouillon de volaille. Saler, poivrer et laisser cuire jusqu'à consistance semi-épaisse (soit 3 à 4 minutes environ). Garder au chaud.

Utilisation : Pigeonneau rôti.

Sauce au foie gras ✗✗✗ ○○○

Prép. : 15 mn. Cuiss. : 30 mn.

20 cl. de fond de pigeon (préparé à partir de carcasses) / 4 foies de pigeon / 50 g. de foie gras / 25 g. de beurre / 1 cuillerée à soupe de crème épaisse / 2 échalotes / 3 dl. de vin rouge / 2 cuillerées à soupe de porto / 1 cuillerée à soupe d'armagnac / Sel, poivre.

Concasser les carcasses de pigeon. Les faire revenir pendant 3 minutes dans une noix de beurre avec 1 échalote hachée. Ajouter porto et armagnac. Réduire des 3/4 puis incorporer le vin rouge et faire réduire à nouveau pendant 20 minutes.

Passer au chinois.

Faire revenir pendant 1 minute les foies de pigeon dans une noix de beurre avec 1 échalote hachée. Les égoutter et les mixer avec les 50 g. de foie gras, 10 g. de beurre et la crème fraîche. Saler, poivrer.

Reprendre la réduction du fond de pigeon et lier au fouet avec la préparation aux foies.

Utilisation : Pigeonneaux rôtis à la sauce foie gras.

Sauce saupiquet froide

✕✕ ○○○

Prép. : 20 mn. Cuiss. : 2 mn.

1 foie de lapin / 4 ou 5 foies de volaille / 5 cl. de vinaigre de vin / 2 dl. d'huile d'olive / 6 grains d'ail / Thym / Laurier / 1 cuillerée de moutarde forte / Sel, poivre

Pocher les foies 2 minutes à l'eau bouillante.

Piler les grains d'ail et ajouter ensuite les foies, thym, laurier en poudre, moutarde, sel, poivre, continuer jusqu'à obtention d'une purée, très fine et parfumée. Monter avec l'huile d'olive ajoutée en filet et le vinaigre.

Le saupiquet est la sauce favorite des chasseurs qui le préparent au retour de leurs longues randonnées. On l'ajoute à la sauce du lièvre ou d'un lapin bardé et rôti.

LES LIAISONS AU SANG OU AU CORAIL

Sauce américaine ✗✗✗ ○○○

Prép. : 15 mn. Cuiss. : 30 mn.

1 crustacé vivant (homard, écrevisse, crabe ou étrille) / 2 cl. d'huile / 25 cl. de vin blanc / 25 cl. de fumet de poisson / 50 g. de beurre / 1 cuillerée à café de farine / 1 carotte / 1 échalote / 1 demi-oignon / 1 poireau / 1 bouquet garni (persil, thym, laurier) / 1 gousse d'ail / 2 cl. d'armagnac / 2 tomates épépinées / 1 cuillerée à soupe de concentré de tomates / Sel, poivre / Le corail du crustacé.

Découper le crustacé.

Dans une sauteuse faire étuver sans colorer tous les légumes (sauf les tomates) dans un mélange huile-beurre (10 g.). Les retirer, puis ajouter les morceaux de crustacé. Laisser raidir les chairs, la carcasse doit rougir, puis ajouter l'armagnac en faisant bouillir (ou en flambant). Réduire des 3/4.

Remettre les légumes dans la sauteuse avec les tomates et le concentré de tomates. Saler, poivrer. Ajouter le vin blanc et le fumet de poisson et mettre à feu vif pendant 10 minutes. Réduire du tiers du volume et passer au chinois.

Incorporer 40 g. de beurre, la cuillerée de farine et le corail en fouettant. Laisser bouillir 2 minutes et garder au chaud.

Utilisations : Homard ou écrevisses à l'américaine.

Sauce de civet

Prép. : 20 mn. Cuiss. : 1 h 15 mn.

50 cl. de marinade au vin rouge / 2 kg. de viande de gibier / 100 g. de lardons / 200 g. de champignons / 3 cl. d'armagnac / 30 g. de farine / 10 cl. de sang / 6 cl. de crème / 25 g. de beurre / 2 cl. d'huile.

Mettre la viande dans la marinade pendant 48 heures. L'égoutter et l'essuyer au papier absorbant.

Faire revenir à feu vif la viande dans 2 cl. d'huile. Ajouter la farine. Laisser dorer, puis flamber avec l'armagnac.

Incorporer la marinade et laisser cuire 1 heure.

Retirer les morceaux de viande et les tenir au chaud, filtrer le jus de cuisson.

Faire saisir les lardons et les champignons dans 25 g. de beurre, ajouter le jus de cuisson, puis lier la sauce doucement, en remuant, avec le sang et la crème.

Utilisations : Civet de chevreuil, civet de lièvre.

LES BEURRES CRUS

La préparation des beurres crus peut se faire soit au mortier, soit au mixer.

Le beurre devrait être laissé 1 heure à température ambiante.

Beurre d'ail

Prép. : 5 mn.

50 g. de beurre / 40 g. de gousses d'ail épluchées, blanchies.

Piler l'ail au mortier ou le hacher finement (enlever éventuellement les germes).

Incorporer au beurre et passer au tamis.

Utilisation : Pour lier des sauces.

Beurre d'estragon, cerfeuil ou persil

Prép. : 5 mn.

50 g. de beurre / 20 g. de feuilles d'estragon (ou cerfeuil ou persil).

Blanchir les feuilles d'estragon 1 minute à l'eau bouillante, les rincer à l'eau froide. Egoutter, presser, puis incorporer les feuilles légèrement mixées au beurre.

Utilisations : Légumes cuits à la vapeur, langoustines ou écrevisses décortiquées.

Beurre de moutarde

Prép. : 5 mn.

50 g. de beurre ramolli / 20 g. de moutarde / Poivre.

Mixer le tout et mettre au réfrigérateur.

Utilisation : Avec jarret de veau poché.

Beurre de fruits secs ✕✕ ∞

Prép. : 5 mn.

50 g. de beurre / 25 g. de fruits secs mondés (amandes ou noisettes ou noix ou pistaches).

Piler les fruits au mortier avec quelques gouttes d'eau pour obtenir une sorte de pâte. Incorporer le beurre et passer au tamis.

Utilisation : Sur flans de légumes.

Beurre maître d'hôtel

Prép. : 5 mn.

50 g. de beurre / 1/4 de citron / 15 g. de persil haché / Sel, poivre.

Incorporer le persil au beurre. Malaxer et ajouter enfin le jus de citron, le sel et le poivre.

Utilisations : Viandes grillées ou rôties, légumes à l'eau, en confection de sandwichs ou canapés.

Beurre de Montpellier

Prép. : 10 mn.

50 g. de beurre / 50 g. d'herbes (estragon, persil, cerfeuil, épinards) / 2 jaunes d'œufs durs / 2 filets d'anchois / 20 g. de câpres / 20 g. de cornichons.

Blanchir les herbes 1 minute à l'eau bouillante. Les rincer à l'eau froide. Les presser.
Mettre dans le mixer les herbes, les jaunes d'œufs, les câpres, les cornichons, et le beurre. Passer ensuite au tamis.

Utilisation : Accompagnement de gros poissons (loup).

Beurre vigneron

Prép. : 10 mn.

100 g. de beurre / 15 g. d'échalote / 2 cl. de vin blanc / 1 cuillerée à soupe de persil et cerfeuil hachés / Sel, poivre / 1 cuillerée à café de jus de citron.

Dans une petite casserole, mettre l'échalote hachée et le vin blanc. Réduire pendant 2 minutes presque à sec.
Laisser refroidir puis, au mixer, incorporer le beurre.
Ajouter enfin les herbes et le jus de citron.

Utilisation : Côte de bœuf sur le gril.

Beurre d'escargots

Prép. : 10 mn.

250 g. de beurre / 30 g. de persil / 1 gousse d'ail / 25 g. d'échalote / 8 g. de sel / 2 g. de poivre / 1 pincée de noix de muscade / 1 biscotte écrasée.

Sortir le beurre du réfrigérateur 1 heure avant de le travailler pour qu'il ramollisse.

Hacher menu persil, ail et échalote.

Malaxer le beurre à la fourchette avec tous les ingrédients et incorporer en dernier la biscotte écrasée qui permettra à tous les ingrédients de rester bien liés entre eux.

Utilisation : Pour farcir des escargots.

Beurre d'anchois

✕✕ ∞

Prép. : 5 mn.

50 g. de beurre / 2 filets d'anchois.

Piler les anchois au mortier en veillant à enlever les arêtes. Incorporer au beurre et passer au tamis.

Utilisations : Poissons grillés ou viandes au gril.

Beurre de crevettes

✕✕ ∞

Prép. : 5 mn.

50 g. de beurre / 30 g. de crevettes décortiquées.

Passer les crevettes au mixer. Incorporer le beurre et passer au tamis.

Utilisation : En liaison.

Beurre de corail

✕✕ ∞∞

Prép. : 5 mn.

50 g. de beurre / 25 g. d'œufs et de corail de homard (ou langouste) cuits.

Mixer les œufs et le corail. Incorporer le beurre et passer au tamis.

Utilisation : Avec coquillages ouverts (coques, moules, coquilles Saint-Jacques).

Beurre d'écrevisses ou de homard

Prép. : 5 mn.

50 g. de beurre / 50 g. de carapaces cuites de crustacés / 30 g. de chair de crustacés cuite.

Passer les carapaces et la chair des crustacés au mixer. Incorporer le beurre puis passer au tamis fin.

Utilisations : En liaison ou sur des mousselines de poisson.

LES BEURRES CUITS

Sauce au beurre d'asperges

Prép. : 5 mn. Cuiss. : 15 mn.

120 g. de beurre / 150 g. de pointes d'asperges vertes / 1 demi-citron / Quelques branches de ciboulette.

Etuver à feu doux les pointes d'asperges dans 20 g. de beurre, 3 minutes. Ajouter 20 cl. d'eau et cuire 8 minutes.
Mixer en purée fluide. Saler, poivrer et ajouter les 100 g. de beurre en petits morceaux en fouettant.
Incorporer enfin le jus de citron et la ciboulette.

Utilisation : Feuilleté d'asperges.

Sauce au beurre de cresson

Prép. : 5 mn. Cuiss. : 5 mn.

80 g. de beurre / 150 g. de feuilles de cresson / 8 cl. de bouillon de volaille / Sel, poivre.

Mixer les feuilles de cresson avec le beurre et le garder au frigo. Lorsqu'il est ferme, l'incorporer en petits morceaux au bouillon de volaille sur feu moyen en fouettant.

Utilisation : Pour épaissir, en crème, un bouillon de poule.

Sauce au beurre d'orties

Prép. : 5 mn. Cuiss. : 10 mn.

50 g. de beurre / 30 g. de feuilles d'orties / 25 cl. de court-bouillon / Sel, poivre.

Faire blanchir les feuilles d'orties à l'eau bouillante salée 3 minutes. Les rincer à l'eau froide, les égoutter et les mixer avec le beurre. Remettre au réfrigérateur.
Faire chauffer le court-bouillon puis incorporer le beurre d'orties en petits morceaux en fouettant.

Utilisations : Escargots chauffés au court-bouillon 5 minutes. Grenouilles poêlées 1 minute de chaque côté.

Sauce soja

Prép. : 2 mn. Cuiss. : 10 mn.

80 g. de beurre / 5 cl. de vinaigre de vin / 5 cl. de sauce soja / 1 pincée de tabasco.

Faire réduire de moitié le vinaigre de vin.
Ajouter la sauce soja et faire réduire à nouveau de moitié.
Ajouter la pointe de tabasco, puis monter au fouet avec le beurre.

Utilisations : Filets d'aiglefin poêlés aux légumes. On peut passer les filets dans la sauce avant de les poêler.
Cabillaud coupé en petits morceaux, poêlé 2 minutes de chaque côté.

Beurre rouge

Prép. : 5 mn. Cuiss. : 40 mn.

2 échalotes / 10 cl. de vin rouge corsé (Côtes du Rhône par exemple) / 60 g. de beurre / Sel, poivre.

Hacher les échalotes et les étuver sans colorer dans une noix de beurre.
Ajouter le vin rouge et faire réduire pendant 30 minutes pour obtenir environ 2 à 3 cuillerées à soupe de liquide. Monter ensuite avec le beurre coupé en petits morceaux au moyen d'un fouet. Saler, poivrer.

Utilisations : Saumon poêlé 3 minutes de chaque côté ou cuit à l'unilatéral sous le gril du four pendant 4 minutes (le saumon est cuit lorsqu'il s'écoule un jus blanc du saumon).

Beurre blanc

Prép. : 10 mn. Cuiss. : 10 mn.

80 g. de beurre frais / 4 cl. de vinaigre de vin blanc / 7 cl. de vin blanc / 1 échalote / 1 cuillerée à soupe de crème épaisse (facultatif) / Sel, poivre.

Dans une casserole mettre l'échalote hachée, le vinaigre et le vin blanc. Faire réduire à feu moyen jusqu'à obtenir 2 cuillerées à soupe de liquide (facultativement, on pourra ajouter 1 cuillerée à soupe de crème épaisse pour débuter l'émulsion).
A feu très doux, incorporer le beurre froid en très petits morceaux et fouetter énergiquement, jusqu'à consistance d'une mayonnaise légère.
La température ne doit pas dépasser 60 à 65° pour éviter que la sauce ne tourne. On peut éliminer les échalotes hachées à travers un chinois, mais la sauce est moins parfumée.

Utilisations : Poissons, crustacés, cervelles d'agneau, légumes.

LES SAUCES EMULSIONNEES

chaudes :

Sauce béarnaise ✕✕✕ ∞

Cuiss. : 20 à 35 mn.

6 cl. de vinaigre de vin rouge / 25 g. d'échalotes hachées / 15 g. d'estragon / 15 g. de cerfeuil / 2 g. de poivre mignonnette / 3 jaunes d'œufs / 180 g. de beurre / Sel.

Clarifier le beurre (voir glossaire).

Faire réduire le vinaigre des 3/4 avec les échalotes, le poivre et les herbes pour obtenir 2 à 3 cuillerées à soupe de liquide (environ 4 à 5 minutes). Passer au chinois.

Mettre dans une casserole au bain-marie 1 cuillerée à soupe d'eau, le vinaigre et y incorporer les jaunes en fouettant à feu doux. Laisser épaissir puis incorporer petit à petit le beurre fondu en fouettant énergiquement sans que la température ne dépasse 60° pour éviter la coagulation des œufs. Ajouter l'estragon et du cerfeuil hachés.

Comme la sauce hollandaise, la sauce béarnaise doit être servie aussitôt prête.

Utilisations : Oeufs pochés, poissons grillés, viandes grillées, asperges.

Pour obtenir une **Sauce Arlésienne,** *ajouter à la sauce béarnaise 1 cuillerée à dessert de dés de tomates et 2 anchois réduits en purée.*

On obtient une **Sauce Choron** *en ajoutant à la sauce béarnaise 1 cuillerée à soupe de dés de tomates pelées, épépinées.*

La préparation de la **Sauce paloise** *est celle de la béarnaise, mais en remplaçant l'estragon par des feuilles de menthe fraîche.*

Si, lors de l'émulsion pour sauce béarnaise, les jaunes d'œufs deviennent trop épais c'est que la température est trop élevée (70º), ajouter un petit peu d'eau froide.

S'ils restent trop liquides et forment de la mousse, la température est trop basse ; ajouter un petit peu d'eau chaude.

Dès que les jaunes ont épaissi, on peut terminer la béarnaise en ajoutant le beurre au mixer.

Sauce hollandaise

Prép. : 15 mn. Cuiss. : 10 mn.

3 jaunes d'œufs / 250 g. de beurre / Sel, poivre / 1 cuillerée à soupe de jus de citron.

Clarifier le beurre (voir glossaire).

Dans un récipient en verre culinaire ou en porcelaine à feu placé au bain-marie à feu doux, fouetter les jaunes d'œufs avec 1 cuillerée à soupe d'eau froide, le mélange doit mousser puis épaissir et le volume augmenter de moitié.

Retirer du bain-marie, saler, poivrer et en fouettant comme pour une mayonnaise, ajouter le beurre fondu. Lorsque le beurre est bien incorporé, ajouter le jus de citron.

La sauce Hollandaise doit être servie aussitôt prête.

Utilisations : Poissons et crustacés pochés ou grillés, légumes à l'anglaise.

En ajoutant 3 cuillerées à soupe de crème liquide fouettée en chantilly on obtient une **sauce mousseline.**

Sauce badiane

Prép. : 30 mn. Cuiss. : 10 mn.

1 échalote hachée / 10 cl. de fumet de poisson ou Saint-Jacques / 2 étoiles de badiane / 10 cl. de vin blanc / 8 cl. de crème fraîche épaisse / 40 g. de beurre / Sel, poivre / Coriandre frais.

Faire étuver l'échalote dans une noix de beurre sans colorer. Ajouter les étoiles de badiane pendant 1 minute puis le vin blanc. Faire réduire de moitié.

Ajouter le fumet de poisson ou Saint-Jacques. Réduire de moitié à nouveau pendant 10 minutes.

Passer au chinois et ajouter la crème fraîche. Amener à consistance crémeuse puis monter la sauce au fouet avec le beurre restant.

Parsemer de pluches de coriandre frais.

Utilisations : Le Saint-Pierre ou le turbot seront cuits soit au court-bouillon pendant 20 minutes environ (entiers) ou à la vapeur en papillotes (en morceaux individuels) pendant 8 à 10 minutes à four très chaud.

Les Saint-Jacques seront poêlées 30 à 40 secondes de chaque côté (selon épaisseur).

Sauce au curry (ou safran)

Prép. : 5 mn. Cuiss. : 15 mn.

10 cl. de vin blanc / 10 cl. de fumet de poisson / 1 échalote / 15 cl. de crème épaisse / 15 à 20 g. de beurre / 1 demi-cuillerée à café de curry (ou 1/4 de cuillerée à café de safran).

Faire étuver l'échalote hachée dans une noix de beurre à feu doux sans colorer. Mouiller avec le vin blanc et laisser frémir pendant 3 minutes.

Ajouter le fumet de poisson. Faire réduire de moitié.

Incorporer le curry ou le safran, la crème épaisse et fouetter 2 à 3 minutes à feu moyen. Baisser ensuite le feu et sans cesser de fouetter, incorporer le beurre par petits morceaux. Ne pas faire bouillir.

Utilisations : Crustacés cuits au court-bouillon, poissons pochés ou poêlés.

Sauce au gingembre

Prép. : 20 mn. Cuiss. : 10 mn.

Parures de 2 rougets (tête, arête, 1 foie) / 10 cl. de vin blanc / 1 échalote / 10 cl. de crème épaisse / 20 g. de beurre / 25 g. de gingembre frais.

Faire un fumet avec les parures de rougets. Faire étuver l'échalote dans une noix de beurre. Ajouter à sec les parures de rougets. Laisser cuire 2 à 3 minutes. Couvrir avec 10 cl. d'eau et le vin blanc ; faire cuire 15 minutes.

Passer au chinois.

Remettre le fumet en casserole. Ajouter 2 à 3 petits morceaux de gingembre. Incorporer la crème et faire réduire pendant 5 minutes.

Retirer le gingembre et terminer la sauce avec 20 g. de beurre en fouettant. Incorporer enfin le gingembre coupé en julienne et blanchi dans de l'eau bouillante pendant 3 à 4 minutes.

Utilisations : Filets de rougets poêlés.

Sauce maltaise

Prép. : 15 mn.

30 cl. de sauce Hollandaise / 2 cuillerées à soupe de jus d'orange sanguine / 1 cuillerée à soupe de zestes d'oranges blanchis.

Préparer une Hollandaise classique et lui incorporer en dernier au lieu du jus de citron, le jus d'orange sanguine et les zestes blanchis à l'eau bouillante pendant 2 minutes.

Utilisation : Asperges tièdes.

Sauce moutarde

Prép. : 5 mn. Cuiss. : 10 mn.

1 échalote / 1 cuillerée à soupe de moutarde / 10 cl. de vin blanc / 1 cuillerée à soupe de jus de viande (veau, lapin) / 10 cl. de crème épaisse / 1 noix de beurre.

Faire étuver l'échalote hachée dans une noix de beurre sans colorer.

Ajouter la cuillerée de moutarde et remuer avec une spatule en bois. Déglacer avec le vin blanc et le jus de viande en délayant bien la moutarde. Faire réduire des 2/3 puis ajouter la crème et faire réduire à nouveau de moitié.

En dernier lieu ajouter à nouveau une pointe de moutarde crue.

Utilisations : Emincé de lapin, volaille découpée en morceaux de la taille d'un doigt, cuits 5 minutes dans un mélange beurre-huile.

Sauce à l'oseille

Cuiss. : 25 mn.

5 cl. de fumet de poisson / 8 cl. de vermouth / 5 cl. de vin blanc / 1 cuillerée à café de concentré de tomates / 8 cl. de crème / 25 g. de beurre / 8 feuilles d'oseille.

Faire réduire le fumet, le vermouth, le vin blanc et le concentré de tomates de moitié.

Ajouter la crème et faire réduire à nouveau pendant 5 minutes.

Ajouter les feuilles d'oseille ciselées et monter avec le beurre au fouet.

Utilisations : Rougets grillés, saumon poêlé.

Sauce au poivre vert

Prép. : 5 mn. Cuiss. : 25 mn.

15 cl. de vin blanc sec / 2 cl. d'armagnac / 1 cl. de jus de poivre vert (pris dans le flacon) / 6 cl. de bouillon de volaille (pouvant être préparé à partir d'une tablette) / 20 cl. de crème fraîche épaisse / 2 cl. de porto / 20 g. de poivre vert / Sel.

Faire réduire de 2/3 à feu vif le vin blanc et l'armagnac pendant 5 minutes. Ajouter le jus du poivre vert, le bouillon de volaille et faire bouillir 5 minutes.

Ajouter les 20 cl. de crème épaisse, le sel et laisser réduire à nouveau à petits bouillons pendant 15 minutes.

Incorporer le porto et le poivre vert ; garder au chaud.

Utilisations : Aiguillettes de canard, magret de canard, médaillon de veau (dans ce cas on remplace le fond de volaille par du fond de veau), poissons grillés.

Sauce rose au vinaigre

XX OO

Prép. : 10 mn. Cuiss. : 15 mn.

15 cl. de vin blanc / 1 cuillerée à soupe de vinaigre de Xérès / 1 cuillerée à soupe d'huile d'olive / 30 g. de tomates coupées en dés / 3 cuillerées à soupe de crème épaisse / 15 g. de beurre / Sel, poivre.

Faire chauffer à petit feu (très doux), les tomates dans l'huile. Incorporer le vinaigre puis le vin blanc sec. Laisser frémir pendant 5 minutes, puis ajouter la crème épaisse. Saler, poivrer.

Terminer en fouettant avec les 15 g. de beurre et passer au chinois en pressant bien pour obtenir une sauce rosée.

Utilisations : Saint-Jacques poêlées, poissons grillés.

Sauce aux truffes ou champignons

XX OOO

Prép. : 5 mn. Cuiss. : 10 mn.

20 g. de truffes / 4 cl. de jus de truffes / 60 g. de beurre / Sel, poivre / 1 demi-cuillerée à café de jus de citron / 6 cl. de crème liquide.

Tailler les truffes en julienne. Les faire étuver doucement dans une noix de beurre. Ajouter le jus de truffes et la crème. Faire réduire pendant 5 minutes, puis ajouter le beurre en fouettant.

Terminer en incorporant le jus de citron.

On peut remplacer les truffes par 80 g. de champignons et le jus de truffes par 2 cuillerées à soupe de porto.

Utilisations : Magret de canard, volaille poêlée.

froides :

Mayonnaise

✗✗ ∞

Prép. : 10 mn.

1 jaune d'œuf / 1 cuillerée à café de moutarde / Sel, poivre blanc (de préférence) / 20 cl. d'huile (arachide ou olive ou tournesol) / 2 cl. de jus de citron.

Dans un bol mélanger avec un petit fouet ou une cuillère en bois le jaune, la moutarde, le sel et le poivre. Ajouter petit à petit l'huile pour faire l'émulsion.

Entre chaque adjonction d'huile, détendre la mayonnaise avec quelques gouttes de citron.

Rectifier l'assaisonnement.

On peut remplacer le jus de citron par 1 petite cuillerée de vinaigre.

Pour assurer une meilleure conservation, incorporer progressivement le vinaigre bouillant dans la mayonnaise.

Réunir les ingrédients et le matériel de la mayonnaise à température ambiante 1 heure avant sa fabrication.

Ajouter l'huile toujours en très petites quantités.

Lorsque la mayonnaise tourne on recommence avec 1 jaune d'œuf et un peu de moutarde et on ajoute la mayonnaise tournée en fouettant.

Sauce aïoli (variante)

✗✗ ∞

Prép. : 15 mn. Cuiss. : 10 mn.

10 gousses d'ail / 2 jaunes d'œufs durs / 2 jaunes crus / 20 cl. d'huile d'olive / Sel, poivre / 1 citron (facultatif).

Faire cuire les gousses d'ail dans leur peau à l'eau bouillante salée pendant 10 minutes. Enlever la peau et les mixer en purée fine.

Dans un mortier écraser au pilon la purée d'ail et les jaunes crus et cuits.

Verser ensuite petit à petit l'huile en fouettant énergiquement.

On peut éventuellement ajouter un filet de citron pour détendre l'aïoli.

Aïoli (recette classique)

✕✕ ∞

Prép. : 20 mn.

5 gousses d'ail / 1 jaune d'œuf / 1 pomme de terre cuite / 25 cl. d'huile d'olive / 1 demi-citron / Sel, poivre.

Eplucher l'ail et le piler au mortier, saler et poivrer, puis ajouter successivement la pomme de terre chaude, le jaune en pilant toujours au mortier, puis incorporer peu à peu l'huile d'olive et le jus de citron.

Garder au frais.

Utilisations : Poissons froids, crudités, légumes cuits vapeur.

Sauce aigre-douce

Prép. : 10 mn.

100 g. de mayonnaise / 3 cuillerées à soupe de sauce à la tomate / 1 demi-cuillerée à café de concentré de tomate / 1 cuillerée à café d'armagnac / 1 cuillerée à soupe d'estragon, ciboulette, cerfeuil et persil hachés / 2 gouttes de tabasco.

Mélanger tous les ingrédients à la mayonnaise et les herbes au moment de servir.

Utilisations : Poissons et crustacés froids, fondue bourguignonne.

Sauce andalouse

Prép. : 15 mn.

1 bol de mayonnaise épaisse / 500 g. de tomates / 1 demi-poivron.

Plonger les tomates et le poivron dans l'eau bouillante pendant 1 minute. Enlever la peau. Les ouvrir. Retirer l'eau de végétation (tomates) et les pépins.

Les couper en petits dés et les incorporer délicatement à la mayonnaise.

Utilisations : Poissons et crustacés froids, légumes crus, viandes froides.

Sauce antiboise

Prép. : 15 mn.

1 bol de mayonnaise à l'huile d'olive / 1 gousse d'ail / Quelques brins de cerfeuil, persil et coriandre hachés.

Mélanger l'ail et les herbes hachées à la mayonnaise.

Utilisations : Poissons froids ou macédoine de légumes.

Sauce cocktail

Prép. : 15 mn.

1 bol de mayonnaise / 1 cuillerée à soupe de Ketchup / 1 cuillerée à soupe de cognac / 1 filet de citron / 1 pointe de paprika.

Mélanger tous les ingrédients à la mayonnaise.

Utilisations : Avocat, cocktail de crevettes, fondue bourguignonne.

Sauce pour crustacés

Prép. : 35 mn. Cuiss. : 20 mn.

10 carapaces d'écrevisses ou 1 coffre de crabe / 1 cl. de cognac / 2 cl. de vin blanc / 10 cl. de fumet de poisson / 1 cuillerée à café de concentré de tomates / 8 cl. de crème fleurette / 1 cl. de vinaigre / 1 demi-cuillerée à soupe d'huile / Quelques brins de persil.

Concasser les carcasses. Les faire revenir dans l'huile pendant 5 minutes. Ajouter le concentré de tomates, puis le cognac, le vin blanc et le fumet de poison. Faire réduire pendant 15 minutes et passer au chinois.

Garder 6 cl. de la préparation au frais.

Dans un saladier mélanger la moutarde, la crème fleurette, le vinaigre, le paprika, le sel et le poivre avec un fouet. Ajouter petit à petit le fumet de crustacés et le persil haché.

Utilisation : Salade froide de crustacés.

Sauce digoinaise

Prép. : 20 mn.

15 cl. d'huile d'olive / 2 jaunes d'œufs / Le jus d'un citron / 1 cuillerée à café de moutarde / 1 échalote / 1 branche d'estragon / 5 à 6 gouttes de tabasco / Sel.

Dans un grand bol, fouetter énergiquement les jaunes, la moutarde, le sel et un peu de jus de citron.

Incorporer l'huile par petites quantités comme pour une mayonnaise, en continuant de fouetter. Puis ajouter le reste de jus de citron pour l'amener à consistance semi-liquide.

Terminer en incorporant l'échalote hachée, le tabasco et l'estragon coupé menu.

Utilisations : Rôtis de viandes froides, viande crue (façon tartare).

Sauce écrevisse

Prép. : 5 mn. Cuiss. : 8 mn.

1 échalote / 1 carotte / 1 morceau de céleri / 1 tomate épluchée et épépinée / 30 g. de beurre / 2 cuillerées à soupe d'armagnac / 10 cl. de vin blanc / 20 cl. de fumet de poisson / 20 écrevisses / 20 cl. de crème épaisse / Quelques gouttes de citron.

Châtrer les écrevisses.

Dans une noix de beurre, faire étuver l'échalote et les légumes coupés en dés sans colorer.

Ajouter le beurre restant, puis les écrevisses. Après 1 minute, ajouter l'armagnac, le vin blanc, puis la tomate et le fumet de poisson. Faire cuire 5 minutes.

Prélever les écrevisses et filtrer le liquide à travers un chinois. A ce liquide, ajouter la crème épaisse en fouettant énergiquement, puis les quelques gouttes de citron.

Utilisations : Ecrevisses (de la recette) servies avec des lamelles de fonds d'artichauts juste saisies au beurre et parsemées de pluches de cerfeuil, ou avec des poissons pochés.

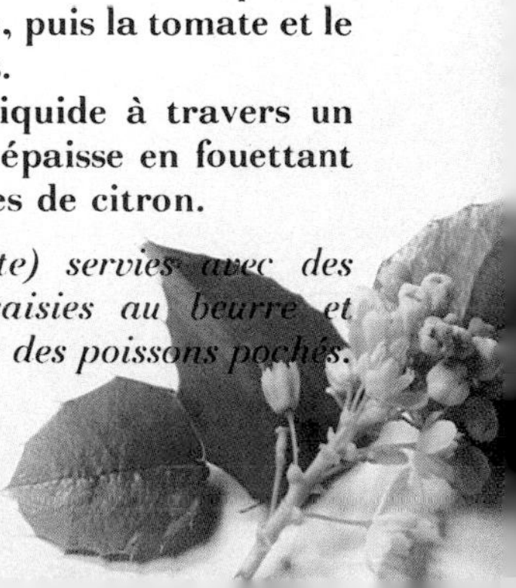

Sauce gaspacho

Prép. : 10 mn.

25 cl. d'huile d'olive / 3 cl. de vinaigre de vin / 2 gousses d'ail / 2 œufs entiers / 10 cl. d'eau / Sel, poivre / 1 petit concombre / 3 tomates.

Mélanger au mixer les gousses d'ail, les œufs et l'huile d'olive avec sel et poivre.

Peler le concombre et les tomates en retirant l'eau de végétation.

Mixer les légumes et récupérer le jus. Le verser sur l'émulsion avec le vinaigre et l'eau, et mettre au froid pendant 1 heure 30 minutes.

Utilisation : Filets de turbot poêlés.

Sauce gribiche

Prép. : 15 mn.

1 œuf dur / 1 dl. d'huile / 2 cuillerées de vinaigre / Sel, poivre / 1 pincée de persil, d'estragon, de cerfeuil / 10 câpres / 2 cornichons.

Ecraser le jaune d'œuf en pâte fine, ajouter l'huile en fouettant comme pour une mayonnaise. Ajouter le vinaigre, sel, poivre.

Hacher fin les câpres, les cornichons et les fines herbes, le blanc d'œuf cuit en lanières. Mélanger ensuite à la mayonnaise.

Utilisations : Viandes froides ou poissons froids, asperges, crudités.

Sauce rémoulade

Prép. : 15 mn.

1 bol de mayonnaise / 60 g. de cornichons et câpres / 30 g. de persil et cerfeuil.

Mixer les cornichons, les câpres et les herbes. Passer le tout au chinois et incorporer le jus à la mayonnaise.

Utilisation : Céleri cru.

Sauce rouille

Prép. : 15 mn.

6 cl. d'huile d'olive / 1 gousse d'ail / 1 demi-piment / 5 grains de gros sel / Gros comme un œuf de mie de pain ou de pomme de terre cuite / 1 dl. de bouillon passé de la cuisson des poissons / 1 pincée de safran (facultatif).

Piler au mortier le piment, l'ail et le gros sel.
Ajouter la mie de pain trempée à l'eau et essorée, puis progressivement l'huile d'olive en fouettant, et le bouillon.

Utilisations : Soupe de poissons, bourride, bouillabaisse.

On peut ajouter 1 jaune d'œuf dans le mortier avant l'huile, ou même 1 pincée de safran.

Sauce russe

Prép. : 10 mn.

1 bol de mayonnaise / 1 betterave rouge.

Mixer la betterave. Passer cette pulpe au chinois et incorporer le jus recueilli à la mayonnaise.

Utilisation : Oeufs cuits durs.

Sauce tartare

Prép. : 15 mn.

1 bol de mayonnaise avec jaune d'œuf dur / 2 cornichons / 10 à 15 câpres / 1 petit oignon frais / 1 pincée de persil, estragon, cerfeuil hachés.

Hacher finement les cornichons, câpres et oignon. Les incorporer à la mayonnaise et ajouter ensuite les herbes hachées.

Utilisations : Poissons crus (thon, saumon), Saint-Jacques crues, volaille, viande froide.

Sauce vendangeur

Prép. : 15 mn. Cuiss. : 10 min.

1 bol de mayonnaise / 15 cl. de vin rouge / 1 échalote / 1 noix de beurre.

Faire étuver l'échalote hachée dans la noix de beurre. Ajouter le vin rouge et faire réduire à 3 cuillerées à soupe.
Incorporer la réduction à la mayonnaise.

Utilisations : Oeufs, viandes froides.

Sauce verte

Prép. : 20 mn. Cuiss. : 3 mn.

1 bol de mayonnaise / 20 g. de cerfeuil / 20 g. de cresson / 20 g. d'épinards / 1 branche d'estragon.

Faire blanchir le cresson 1 minute à l'eau bouillante et les épinards 3 minutes à l'eau salée bouillante. Les passer à l'eau froide et les presser, les mixer avec le cerfeuil et l'estragon, les passer au tamis. Incorporer le jus à la mayonnaise.

Utilisations : Asperges, avocat.

Sauce Vincent

Prép. : 20 mn. Cuiss. : 1 mn.

1 demi-bol de sauce Tartare / 1 demi-bol de mayonnaise / 20 g. de cresson / 20 g. d'épinards / Ciboulette / 20 g. d'oseille / 1 œuf dur.

Blanchir les épinards, le cresson et l'oseille 1 minute à l'eau bouillante, les égoutter et les mixer avec la ciboulette.
Incorporer cette purée aux deux sauces mélangées ainsi que l'œuf haché.

Utilisation : Poissons froids cuits au court-bouillon.

LES VINAIGRETTES

Vinaigrette classique

Prép. : 3 mn.

6 cuillerées à soupe d'huile d'arachide ou d'olive / 2 cuillerées à soupe de vinaigre de vin / 1 cuillerée à café rase de sel / 1 demi-cuillerée à café rase de poivre.

Mettre sel et poivre dans un bol. Ajouter le vinaigre pour dissoudre le sel.

Incorporer ensuite l'huile.

On peut faire une **vinaigrette à l'ail** *en mettant 1 gousse d'ail avec le sel et le poivre.*

On peut remplacer le vinaigre par du jus de citron ou ajouter des herbes vertes hachées (persil, cerfeuil, ciboulette, coriandre, menthe, marjolaine, citronnelle).

Vinaigrette à l'œuf

Prép. : 4 mn.

Le jaune d'un œuf mollet / 1 cuillerée à café de sel / 1 demi-cuillerée à café de poivre / 2 cuillerées à soupe de vinaigre / 6 cuillerées à soupe d'huile / Quelques fines herbes / 1 échalote.

Mélanger sel, poivre et vinaigre. Incorporer le jaune d'un œuf mollet. Verser l'huile progressivement.

Hacher le blanc, les fines herbes et l'échalote et les incorporer à la vinaigrette.

Vinaigrette à la moutarde

Prép. : 3 mn.

1 cuillerée à café de moutarde / 1 cuillerée à café de sel / 1 demi-cuillerée à café de poivre / 2 cuillerées à soupe de vinaigre / 6 cuillerées à soupe d'huile.

Mélanger la moutarde avec sel et poivre. Ajouter le vinaigre et dissoudre la moutarde. Incorporer l'huile ensuite.

Sauce Bagna Cauda

Prép. : 10 mn. Cuiss. : 5 mn.

10 anchois au sel / 6 gousses d'ail / Poivre / 1 verre et demi d'huile d'olive.

Ebouillanter les gousses d'ail. Les cuire dans une deuxième eau salée pendant 5 minutes.

Nettoyer les anchois, les dessaler soigneusement. Faire fondre ces anchois dans 4-5 cuillerées d'huile d'olive sur feu très doux en les malaxant à la fourchette. Ajouter les gousses d'ail pilées ; bien écraser le tout, poivrer, ajouter l'huile d'olive restante.

Servir avec un panier de crudités variées, en maintenant la sauce sur une veilleuse pour permettre aux convives de tremper leurs légumes dans cette sauce chaude.

Recette de tradition niçoise, où elle est réalisée à partir de pissalat (mélange d'anchois et de sardines salés, épicés et mis en purée) et d'huile.

(Extrait de : « Meilleures recettes de Provence et de Côte d'Azur »).

Sauce ravigote

Prép. : 4 mn.

Incorporer à la vinaigrette 1 cuillerée à soupe d'oignons et des câpres hachés ainsi que des herbes hachées (ciboulette, persil, cerfeuil, estragon).

Servir avec de la tête de veau.

Sauce aux olives noires

Prép. : 15 mn.

2 cuillerées à soupe d'huile d'olive et d'arachide / 1 demi-citron / 70 g. d'olives noires dénoyautées / 25 g. de filets d'anchois à l'huile.

Broyer au mortier ou au mixer les différents composants et ajouter peu à peu les huiles mélangées. Incorporer enfin le jus de citron.

Utilisations : Oeufs durs, toasts.

Sauce vierge (chaude ou froide)

Prép. : 5 mn. Cuiss. : 3 mn.

20 cl. d'huile d'olive / 3 tomates / 1 bouquet de cerfeuil et de persil / 6 grains de coriandre écrasés / 6 baies roses / 1 cuillerée à soupe d'estragon frais / Sel.

Monder les tomates et les peler. Les couper en deux, les épépiner et les couper en petits dés.

Hacher les herbes. Mélanger tous les ingrédients dans l'huile et faire tiédir le tout au bain-marie.

Utilisations :

Chaude : Bar à la vapeur, panaché de poissons, crustacés cuits à la nage.

Froide : Poissons froids, salades.

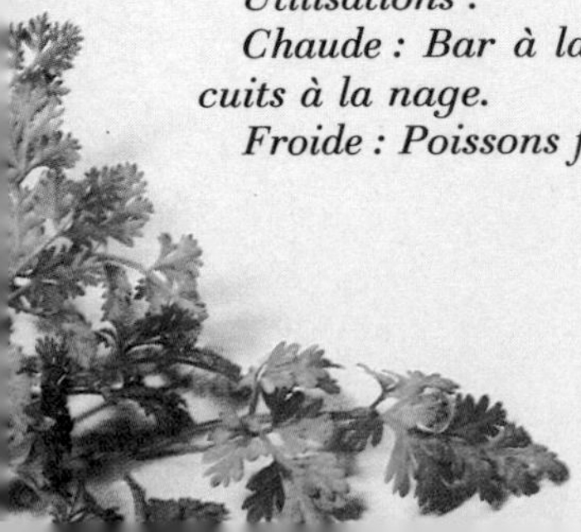

TABLE DES RECETTES

Pages

LES FONDS, GLACE, MARINADE, FUMETS, GELEE

Fond blanc de veau 7
Fond brun de veau 6
Fond de canard 8
Fond de gibier 8
Fond de volaille 8
Fumet de poisson 10
Fumet de Saint-Jacques 10
Gelée (viande, volaille ou poisson) 11
Glace de viande, de volaille, de gibier 6
Jus de moules 11
Marinade crue (pour gibier ou viande rouge) 9

LES LIAISONS

à froid :
Beurre manié 12

à chaud :
Roux blanc 13
Roux blond 13
Roux brun 13

LES SAUCES A BASE BLANCHE

Sauce Albuféra 16
Sauce aurore 17
Sauce au vin blanc 20
Sauce Béchamel 14
Sauce Bercy 16
Sauce cardinal 16
Sauce dieppoise 18
Sauce Mornay 19
Sauce raifort 18
Sauce ravigote 21
Sauce Soubise 20
Sauce suprême 15
Sauce veloutée 14

LES CHAUDS-FROIDS

Sauce chaud-froid aurore 22
Sauce chaud-froid blanche (sauce froide) 22
Sauce chaud-froid brune 23
Sauce chaud-froid vert pré 22

LES SAUCES A BASE BRUNE

Sauce bordelaise 25
Sauce charcutière 26
Sauce chasseur 26
Sauce confuse 27
Sauce demi-glace 24
Sauce diable 28
Sauce Duxelles 29
Sauce espagnole 24
Sauce estragon 28
Sauce financière 28
Sauce grand veneur ou venaison 33
Sauce madère 30
Sauce Périgueux 31
Sauce piquante 30
Sauce poivrade 32
Sauce Robert 32
Sauce rouennaise 34
Sauce salmis 34

LES SAUCES AU VIN

Sauce au sauternes 38
Sauce beaujolaise 36
Sauce bourguignonne 35
Sauce échalote au Noilly 37
Sauce marchand de vin 36
Sauce matelote 38

LES SAUCES AUX PUREES DE LEGUMES ET HERBES

Sauce à la crème de poivron 46
Sauce à la purée de betteraves rouges 41
Sauce à la purée de carottes 40
Sauce à la purée de céleri pour gibier 42
Sauce à la purée de céleri pour poissons 42
Sauce à la purée de tomates, poivron et oignon 48
Sauce au coulis d'endives 42
Sauce au coulis de fenouil 44
Sauce au coulis de poireaux 46
Sauce au coulis de tomates 48
Sauce aux oignons 44
Sauce bolognaise 40

Sauce Cumberland 43
Sauce estragon 45
Sauce tomate 49

LES LIAISONS A L'OEUF

Sauce aux huiles et au zeste d'orange 50
Sauce de blanquette 50
Sauce poulette 53
Sauce sabayon 52
Sauce Waterzoï 52

LES LIAISONS AU FOIE GRAS OU AUX ABATS

Sauce au foie gras 56
Sauce aux foies de volaille 54
Sauce aux gésiers et aux foies 55
Sauce bigarade 54
Sauce saupiquet froide 57

LES LIAISONS AU SANG OU AU CORAIL

Sauce américaine 58
Sauce de civet 59

LES BEURRES CRUS

Beurre d'ail 60
Beurre d'anchois 64
Beurre de corail 64
Beurre de crevettes 64
Beurre d'écrevisses ou de homard 65
Beurre de fruits secs 61
Beurre de Montpellier 62
Beurre de moutarde 60
Beurre d'escargots 63
Beurre d'estragon, cerfeuil ou persil 60
Beurre maître d'hôtel 62
Beurre vigneron 62

LES BEURRES CUITS

Beurre blanc 68
Beurre rouge 68
Sauce au beurre d'asperges 66
Sauce au beurre de cresson 66
Sauce au beurre d'orties 66
Sauce soja 67

LES SAUCES EMULSIONNEES

chaudes :

Sauce à l'oseille 76
Sauce Arlésienne 70
Sauce au curry (ou safran) 74
Sauce au gingembre 74
Sauce au poivre vert 77
Sauce aux truffes ou champignons 78
Sauce badiane 73
Sauce béarnaise 70
Sauce Choron 70
Sauce hollandaise 72
Sauce maltaise 75
Sauce moutarde 76
Sauce paloise 70
Sauce rose au vinaigre 78

froides :

Aïoli (recette classique) 81
Mayonnaise 80
Sauce aigre-douce 82
Sauce aïoli (variante) 80
Sauce andalouse 82
Sauce antiboise 82
Sauce cocktail 83
Sauce digoinaise 84
Sauce écrevisse 85
Sauce gaspacho 86
Sauce gribiche 86
Sauce pour crustacés 84
Sauce rémoulade 86
Sauce rouille 88
Sauce russe 88
Sauce tartare 88
Sauce vendangeur 90
Sauce verte 90
Sauce Vincent 90

LES VINAIGRETTES

Sauce aux olives noires 93
Sauce Bagna Cauda 93
Sauce ravigote 93
Sauce vierge (chaude ou froide) 94
Vinaigrette à la moutarde 92
Vinaigrette à l'œuf 92
Vinaigrette classique 92